CEDU(쎄듀)는 A **C**omprehensive **E**nglish e**DU**cation(종합적 영어교육)의 약자입니다.

저자

김기훈 現 ㈜ 쎄듀 대표이사
現 메가스터디 영어영역 대표강사
前 서울특별시 교육청 외국어 교육정책자문위원회 위원

저서 천일문 / 천일문 Training Book / 초등코치 천일문
천일문 GRAMMAR / 왓츠 Grammar / 패턴으로 말하는 초등 필수 영단어
Oh! My Grammar / Oh! My Speaking / Oh! My Phonics
EGU 〈영단어&품사 · 문장 형식 · 동사 · 문법 · 구문〉 / 어휘끝 / 어법끝 / 거침없이 Writing / 쓰작
리딩 플랫폼 / 리딩 릴레이 / Grammar Q / Reading Q / Listening Q 등

쎄듀 영어교육연구센터
쎄듀 영어교육센터는 영어 콘텐츠에 대한 전문지식과 경험을 바탕으로
최고의 교육 콘텐츠를 만들고자 최선의 노력을 다하는 전문가 집단입니다.

장혜승 선임연구원 • **조연재** 연구원 • **김지원** 연구원

마케팅 콘텐츠 마케팅 사업본부
영업 문병구
제작 정승호
인디자인 편집 올댓에디팅
디자인 쎄듀 디자인팀
일러스트 전병준, 연두, 김청희
영문교열 Stephen Daniel White

Words

80 A

영어 독해력, 왜 필요한가요?

대부분 유아나 초등 시기에 처음 접하는 영어 읽기는 영어 동화책 중심입니다.
아이들이 영어에 친숙해지게 하고, 흥미를 가지게 하려면 재미있는 동화나 짧은 이야기,
즉 '픽션' 위주의 읽기로 접근하는 것이 좋은 방법이기 때문입니다.

그러나 학년이 높아짐에 따라 각종 시험에 출제되는 거의 대부분의 지문은 **유익한 정보나 지식, 교훈 등을 주거나, 핵심 주제를 파악하여 글쓴이의 관점을 이해하는 것이 필요한 '논픽션' 류**입니다.
초등 영어 교육 과정 또한 실용 영어 중심이다 보니, 이러한 다양한 지문을 많이 접하고 그 지문을 이해하는 능력을 기를 수 있는 기회가 사실 많지는 않습니다.

하지만 수능 영어의 경우, 실용 영어부터 기초 학술문까지 다양한 분야의 글이 제시되므로, **사회과학, 자연과학, 문학과 예술 등 다양한 소재에 대한 배경지식을 기르는 것이 매우 중요**하며, 지문을 읽고 핵심 주제와 글의 흐름을 파악해 문제를 풀 수 있는 능력, 즉 영어 독해력이 요구됩니다.

<왓츠 리딩> 시리즈는 아이들이 영어 읽기에 대한 흥미를 계속 유지하면서도, 논픽션 읽기에 자신감을 얻을 수 있도록, 챕터별로 **픽션과 논픽션의 비율을 50:50으로 구성**하였습니다. 각 챕터를 하나의 공통된 주제를 기반으로 한 지문 4개로 구성하여, **다양한 교과과정의 주제별 배경지식과 주요 단어**를 지문 내에서 자연스럽게 습득할 수 있도록 했습니다.

환경 관련 주제의 초등 ▸ 중등 ▸ 고등 지문 차이 살펴보기

같은 주제의 지문이라 하더라도, 픽션과 논픽션은 글의 흐름과 구조가 다르고, 사용되는 어휘가 다를 수 있습니다.
또한, 어휘의 난이도, 구문의 복잡성, 내용의 추상성 등에 따라 독해 지문의 난도는 크게 차이가 날 수 있습니다.

초등 **초6 'ㅊ' 영어 교과서 지문** (단어 수 83)

The earth is sick. The weather is getting warmer. The water is getting worse.
We should save energy and water. We should recycle things, too.
What can we do? Here are some ways.
- Turn off the lights.
- Don't use the elevators. Use the stairs.
- Take a short shower.
- Don't use too much water. Use a cup.
- Recycle cans, bottles and paper.
- Don't use a paper cup or a plastic bag.

Our small hands can save the earth!

초등 교과 과정에서는 필수 단어 **약 800개** 학습을 권장하고 있습니다.

중등 중1 'ㄷ' 영어 교과서 지문 (단어 수 197)

Today I'm going to talk about three plastic bottles. They all started together in a store. But their lives were completely different.

A man came and bought the first bottle. After he drank the juice, he threw the bottle in a trash can. A truck took the bottle to a garbage dump. The bottle was with other smelly trash there. The bottle stayed on the trash mountain for a very long time. (중략)

A little boy bought the third bottle. The boy put the empty bottle in a recycling bin. A truck took the bottle to a plastic company. The bottle became a pen. A man bought it and he gave it to his daughter. Now it is her favorite pen!

What are you going to do with your empty bottles? Recycle! The bottles and the world will thank you for recycling.

중등 교과 과정에서는 **약 1,400**개의 단어를 익혀야 합니다.

고등 수능 기출 문제 (단어 수 149)

22. 다음 글의 요지로 가장 적절한 것은?

Environmental hazards include biological, physical, and chemical ones, along with the human behaviors that promote or allow exposure. Some environmental contaminants are difficult to avoid (the breathing of polluted air, the drinking of chemically contaminated public drinking water, noise in open public spaces); in these circumstances, exposure is largely involuntary. Reduction or elimination of these factors may require societal action, such as public awareness and public health measures. In many countries, the fact that some environmental hazards are difficult to avoid at the individual level is felt to be more morally egregious than those hazards that can be avoided. Having no choice but to drink water contaminated with very high levels of arsenic, or being forced to passively breathe in tobacco smoke in restaurants, outrages people more than the personal choice of whether an individual smokes tobacco. These factors are important when one considers how change (risk reduction) happens.

* contaminate 오염시키다 ** egregious 매우 나쁜

① 개인이 피하기 어려운 유해 환경 요인에 대해서는 사회적 대응이 필요하다.
② 환경오염으로 인한 피해자들에게 적절한 보상을 하는 것이 바람직하다.
③ 다수의 건강을 해치는 행위에 대해 도덕적 비난 이상의 조치가 요구된다.
④ 환경오염 문제를 해결하기 위해서는 사후 대응보다 예방이 중요하다.
⑤ 대기오염 문제는 인접 국가들과의 긴밀한 협력을 통해 해결할 수 있다.

수능 영어 지문을 해석하려면 기본적으로 **약 3,300개**의 단어 학습이 필요합니다.

왓츠 리딩 학습법

영어 독해력, 어떻게 키울 수 있나요?

<왓츠 리딩>으로 이렇게 공부해요!

STEP  주제별 핵심 단어 학습하기

- 글을 읽기 전에 주제와 관련된 단어들의 의미를 미리 학습하면 처음 보는 글의 내용을 보다 쉽게 이해할 수 있습니다. 주제별 핵심 단어들의 의미를 확인하고, QR코드로 원어민의 생생한 발음을 반복해서 듣고 따라 읽어보세요.
- <왓츠 리딩> 시리즈를 학습하고 나면, 주제별 핵심 단어 약 1,040개를 포함하여, 총 2,000여개의 단어를 완벽하게 익힐 수 있습니다.

STEP  다양한 종류의 글감 접하기

- 교과서나 여러 시험에서 다양한 구조로 전개되는 논픽션 류가 등장하기 때문에, 읽기에 대한 흥미를 불러일으키는 픽션 외에도 정보를 전달하는 논픽션을 바탕으로 한 다양한 종류의 글감을 접해야 합니다.
- <왓츠 리딩> 시리즈는 챕터별로 픽션과 논픽션의 비중을 50:50으로 구성하여, 두 가지 유형의 글 읽기를 위한 체계적인 학습이 가능합니다. 설명문뿐만 아니라 전기문, 편지글, 일기, 레시피, 창작 이야기 등 다양한 유형의 글감을 통해 풍부한 읽기 경험을 쌓아 보세요.

STEP  지문을 잘 이해했는지 문제로 확인하기

- 독해는 글을 읽으며 글의 목적, 중심 생각, 세부 내용 등을 파악하는 과정입니다. 하나를 읽더라도 정확하게 문장을 해석하면서 문장과 문장 간의 연결을 이해하는 것이 중요해요. 이러한 독해 습관은 모든 학습의 기초인 문해력도 동시에 향상시킬 수 있습니다.

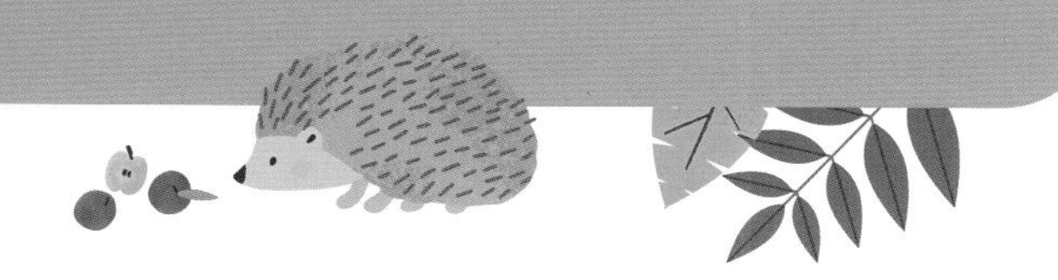

STEP 4 지문 구조 분석 훈련하기

- 올바른 이해는 글을 읽고 내용을 이해하는 것을 넘어 '나'의 사고를 확장하며 그 내용을 응용하는 것까지 이어져야 합니다. 따라서 글의 내용을 파악하는 문제 외에도 글의 구조를 분석하고 요약문으로 이해한 내용을 정리하는 활동을 통해 '내' 지식으로 만들어 보세요.

STEP 5 직독직해 훈련하기

- 직독직해란 영어를 적절하게 '끊어서 읽는 것'으로, 영어 어순에 맞게 문장을 읽어 나가는 것을 뜻합니다. 직독직해 연습을 통해 빠르고 정확하게 문장을 해석하는 방법을 익힘으로써 독해력을 키울 수 있습니다.

영어는 우리말과 어순이 다르기 때문에 이러한 훈련이 해석하는 데 큰 도움이 됩니다. 영어 어순에 맞춰 문장을 이해하다보면 복잡한 문장도 더 쉽게 이해할 수 있습니다.

직독직해 훈련의 시작은 기본적으로 주어와 동사를 찾아내는 것부터 할 수 있습니다. 해설에 실린 지문별 끊어 읽기를 보고, 직독직해 연습지를 통해 혼자서도 연습해보세요.

끊어서 읽기

토끼는 ~을 자랑스러워했다 / 그의 새 코트. 어느 날, / 그는 개구리를 보았다.
[1]A rabbit was proud of / his new coat. [2]One day, / he saw a frog.

그 개구리는 잃었다 / 자신의 집을. 토끼는 잘라 냈다 / 그의 코트 한 조각을. 그는 만들었다 /
[3]The frog lost / his home. [4]The rabbit cut out / a piece of his coat. [5]He made /

새 집을 / 그 개구리를 위해. 그 코트는 새것이 아니었다 / 더 이상. 하지만 토끼는
a new home / for the frog. [6]The coat was not new / any more. [7]But the rabbit

행복했다.
was happy.

STEP 6 꾸준하게 복습하기

- 배운 내용을 새로운 문장과 문맥에서 다시 복습하는 것이 중요합니다.
  제공되는 워크북, 단어 암기장, 그리고 다양한 부가 학습 자료를 활용하여, 그동안 배운 내용을 다시 떠올리며 복습해 보세요.

구성과 특징 Components

★ <왓츠 리딩> 시리즈는 다음과 같이 구성되어 있습니다.

<왓츠 리딩> 시리즈는 총 8권으로 구성되었습니다.

	70A / 70B	80A / 80B	90A / 90B	100A / 100B
단어 수 (Words)	60-80	70-90	80-110	90-120
*Lexile 지수	200-400L	300-500L	400-600L	500-700L

*Lexile(렉사일) 지수 미국 교육 연구 기관 MetaMetrics에서 개발한 영어 읽기 지수로, 개인의 영어독서 능력과 수준에 맞는 도서를 읽을 수 있도록 개발된 독서능력 평가지수입니다. 미국에서 가장 공신력 있는 지수로 활용되고 있습니다.

- 한 챕터 안에서 하나의 공통된 주제를 중심으로 다양한 교과과정을 학습할 수 있습니다.
- 익숙한 일상생활 소재뿐만 아니라, 풍부한 읽기 경험이 되도록 여러 글감을 바탕으로 지문을 구성했습니다.
- 주제별 배경지식 및 주요 단어를 지문 안에서 자연스럽게 익힐 수 있습니다.
- 체계적인 독해 학습을 위한 단계별 문항을 제시하며, 다양한 활동을 통해 글의 구조에 대한 이해도를 높일 수 있습니다.

주제 확인하기

하나의 주제를 기반으로 한 4개의 지문을 제공합니다. 어떤 영역의 지문이 등장하는지 한눈에 확인할 수 있습니다.

지문 소개 글 읽기

- 학습자의 흥미를 유발하고, 글에 대한 배경지식을 활성화시켜줍니다.

지문 속 핵심 단어 확인하기

- 지문에 등장하는 핵심 단어를 확인합니다. 각 단어의 의미를 이해하면 읽기에 더 집중할 수 있습니다.
- QR코드를 통해 핵심 단어의 원어민 발음을 들을 수 있습니다.

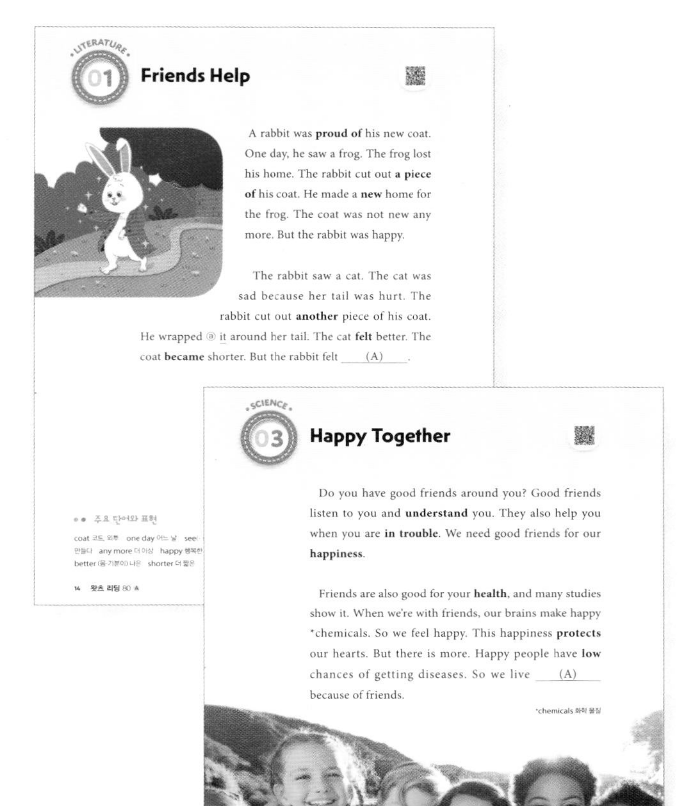

LITERATURE 01 **Friends Help**

A rabbit was **proud of** his new coat. One day, he saw a frog. The frog lost his home. The rabbit cut out **a piece of** his coat. He made a **new** home for the frog. The coat was not new any more. But the rabbit was happy.

The rabbit saw a cat. The cat was sad because her tail was hurt. The rabbit cut out **another** piece of his coat. He wrapped ⓐ it around her tail. The cat **felt** better. The coat **became** shorter. But the rabbit felt ___(A)___.

SCIENCE 03 **Happy Together**

Do you have good friends around you? Good friends listen to you and **understand** you. They also help you when you are **in trouble**. We need good friends for our **happiness**.

Friends are also good for your **health**, and many studies show it. When we're with friends, our brains make happy *chemicals. So we feel happy. This happiness **protects** our hearts. But there is more. Happy people have **low** chances of getting diseases. So we live ___(A)___ because of friends.

*chemicals 화학 물질

주요 단어와 표현

also 또한 help 돕다 when ~할 때 good for ~에 좋은 study 연구, 공부 show 보여 주다 brain 뇌 heart 심장, 가슴 more 더 많은 수(양) chance 가능성 disease 병 because of ~ 때문에

유익하고 흥미로운 지문

- 다양한 종류의 글감으로 구성된 픽션과 논픽션 지문을 수록하였습니다.

독해력 Up 팁 하나

글을 읽기 전, 글의 내용과 관련된 사진이나 삽화를 보면서 내용을 미리 짐작해 보세요. 추측하면서 읽는 활동은 내용 파악에 도움이 됩니다.

- 핵심 단어 외에 지문에 등장하는 주요 단어와 표현을 확인할 수 있어요.

독해력 Up 팁 둘

모르는 단어가 있더라도 지문을 읽어본 다음, 그 단어의 의미를 추측해 보세요. 문장과 함께 단어의 의미를 학습하면 기억에 오래 남게 됩니다.

LITERATURE 01 **Friends Help**

A rabbit was **proud of** his
One day, he saw a frog. The frog lost his home. The rabbit cut out **a piece of** his coat. He made a **new** home for the frog. The coat was not new any more. But the rabbit was happy.

The rabbit saw a cat. The cat was

- QR코드를 통해 지문과 단어의 MP3 파일을 들을 수 있습니다.

독해력 Up 팁 셋

음원을 듣고 따라 읽으면서 복습해 보세요. 영어 독해에 대한 두려움은 줄고, 자신감을 쌓을 수 있어요.

구성과 특징 Components

독해 실력을 길러주는 단계별 문항 Step 1, 2, 3

Step 1 Check Up

- 지문을 읽고 나서 내용을 잘 이해했는지 확인해 보세요.
- 중심 생각과 세부 내용을 확인하는 다양한 유형의 문제를 풀면서 독해력의 기본기를 탄탄하게 쌓을 수 있어요.

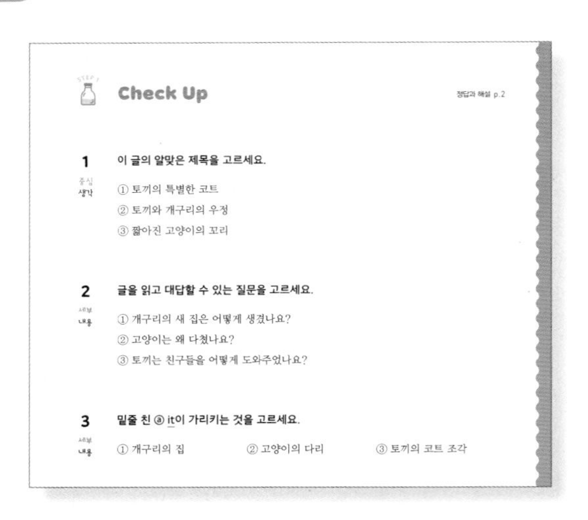

Check Up
정답과 해설 p.2
1 이 글의 알맞은 제목을 고르세요.
① 토끼의 특별한 코트
② 토끼와 개구리의 우정
③ 짧아진 고양이의 꼬리
2 글을 읽고 대답할 수 있는 질문을 고르세요.
① 개구리의 새 집은 어떻게 생겼나요?
② 고양이는 왜 다쳤나요?
③ 토끼는 친구들을 어떻게 도와주었나요?
3 밑줄 친 ⓐ it이 가리키는 것을 고르세요.
① 개구리의 집
② 고양이의 다리
③ 토끼의 코트 조각

Step 2 Build Up

글의 내용을 분류하고, 비교하고, 분석하면서 글의 구조를 정리해 보세요. 글의 순서, 원인-결과, 질문-대답 등 여러 리딩 스킬 학습을 통해 다양한 각도로 글을 이해할 수 있습니다.

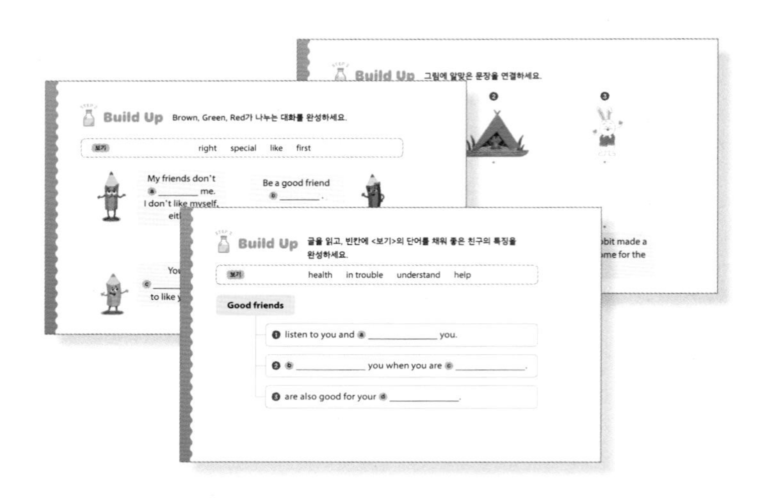

Build Up 그림에 알맞은 문장을 연결하세요.
Build Up Brown, Green, Red가 나누는 대화를 완성하세요.
보기 right special like first
Build Up 글을 읽고, 빈칸에 <보기>의 단어를 채워 좋은 친구의 특징을 완성하세요.
보기 health in trouble understand help
Good friends
listen to you and
you when you are
are also good for your

Step 3 Sum Up

빈칸 채우기, 시간 순 정리 활동으로 글의 요약문을 완성해 보세요. 글의 흐름을 다시 한번 복습하면서 학습을 마무리할 수 있습니다.

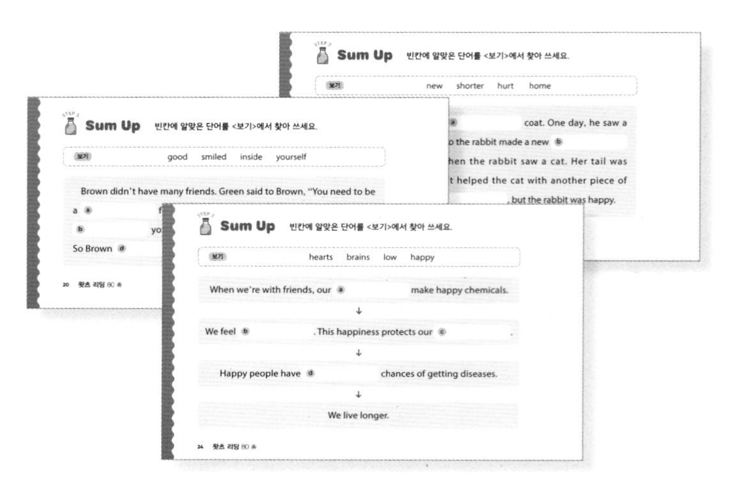

Sum Up 빈칸에 알맞은 단어를 <보기>에서 찾아 쓰세요.
보기 new shorter hurt home
Sum Up 빈칸에 알맞은 단어를 <보기>에서 찾아 쓰세요.
보기 good smiled inside yourself
Brown didn't have many friends. Green said to Brown, "You need to be
Sum Up 빈칸에 알맞은 단어를 <보기>에서 찾아 쓰세요.
보기 hearts brains low happy
When we're with friends, our make happy chemicals.
We feel . This happiness protects our
Happy people have chances of getting diseases.
We live longer.

Look Up

A 아래 그림에 알맞은 단어를 고르세요.

❶ □ coat □ piece
❷ □ new □ short
❸ □ hurt □ proud

B 주어진 단어의 알맞은 우리말 뜻을 찾아 연결하세요.

❶ lose · · 두르다
❷ become · · 잃다

지문 속 단어 정리 및 복습

지문에 등장한 단어와 표현을 복습해요.
삽화를 통한 의미 확인, 연결 짓기, 추가 예문을 통해
단어의 의미를 한 번 더 정리합니다.

독해 학습을 완성하는 책속책과 별책 부록

WORKBOOK

- 지문에 등장했던 핵심 단어와 표현을 확인할 수 있어요.
- 주어, 동사 찾기 연습과 단어 배열 연습 문제로 영작 연습하면서 지문 내용을 복습할 수 있습니다.

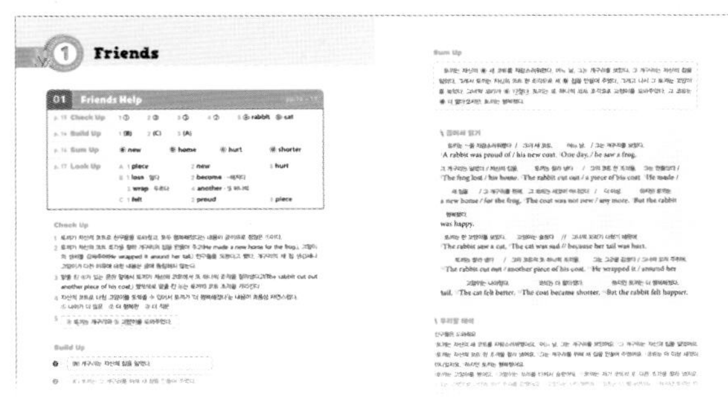

자세한 해설 및 해석 제공

- 정답의 이유를 알려주는 문제 해설, 영어의 어순으로 빠르게 해석할 수 있는 방법을 보여 주는 직독직해를 확인해 보세요.
- 혼자서 해석하기 어려운 문장을 설명해주는 문장 분석하기 코너를 활용해 보세요.

Friends

01 Friends Help

proud 형 자랑스러운
proud of ~을 자랑스러워하는
piece 명 조각, 부분
a piece of ~의 한 조각
new 형 새로운
another 형 또 하나의, 다른
feel / felt 동 ~한 기분이 들다
become / became 동 ~해지다, ~가 되다
cut out / cut out 잘라 내다
make / made 만들다
any more 더 이상
happy 행복한
tail 꼬리
hurt 다친
wrap / wrapped 감싸다, 두르다
around ~의 주위에
better (몸·기분이) 나은
shorter 더 짧은

단어 암기장

- 지문에 등장했던 모든 단어와 표현을 확인할 수 있어요.
- QR코드를 통해 단어 MP3 파일을 듣고 단어 의미를 복습하면서 어휘력을 기를 수 있어요.

무료 부가서비스
www.cedubook.com

1. 단어 리스트 2. 단어 테스트 3. 직독직해 연습지
4. 영작 연습지 5. 받아쓰기 연습지 6. MP3 파일 (단어, 지문)

목차 Contents

Ch 1 Friends

초등 교육과정 - 도덕 | 타인과의 관계 > 우정

Ch 2 Fashion

초등 교육과정 - 실과 | 가정생활과 안전 > 옷 입기와 의생활 예절

Ch 3 Lightning

초등 교육과정 - 과학 | 대기와 해양 > 대기의 운동과 순환

Ch 4 Dessert

초등 교육과정 - 실과 | 가정 생활과 안전 > 식재료의 특성과 음식의 맛

Ch 5 Poison

초등 교육과정 - 과학 | 생명 > 생활 속 동·식물

Friends

도움이 필요한 친구에게 먼저 다가가 도와준 적이 있나요? 도움을 준 후에 기분이 어땠는지 한번 떠올려보세요.

01 Friends Help

proud	형 자랑스러운 *proud of ~을 자랑스러워하는
piece	명 조각, 부분 *a piece of ~의 한 조각
new	형 새로운
another	형 또 하나의, 다른
feel (- felt)	동 ~한 기분이 들다
become (- became)	동 ~해지다, ~가 되다

LITERATURE

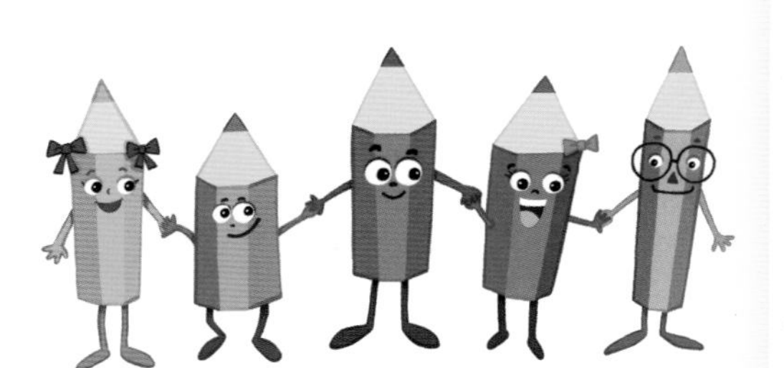

주변 친구들에게 나는 어떤 친구일지 한 번 생각해 보세요. 나는 좋은 친구일까요?

02 Becoming Good Friends

smile (- smiled)	동 (소리 내지 않고) 웃다, 미소 짓다
listen (- listened)	동 (귀 기울여) 듣다 *listen to ~을 듣다
talk (- talked)	동 말하다, 이야기하다 *talk to ~에게 말을 걸다
special	형 특별한
right	형 (틀리지 않고) 맞는
all	형 모든, 모두의

사람이 살아가는 데 친구는 매우 중요해요. 친구로 인해 우리에게 다양한 변화가 생길 수 있거든요.

03 Happy Together

understand (- understood)	동 이해하다, 알아듣다
trouble	명 어려움, 문제 *in trouble 어려움에 처한
happiness	명 행복, 만족
health	명 (몸·마음의) 건강
protect (- protected)	동 보호하다, 지키다
low	형 낮은

Henry Ford(헨리 포드)가 휘발유를 연료로 하는 엔진을 만들려고 할 때, 유일하게 그를 격려하고 믿어 준 사람이 있었어요.

04 Ford and Edison

hero	명 영웅
invent (- invented)	동 발명하다
advice	명 조언, 충고 *give(- gave) advice on ~에 대해 조언하다
begin (- began)	동 시작되다, 시작하다
next to	~ 바로 옆에
before	전 (시간상으로) ~ 전에

Friends Help

A rabbit was **proud of** his new coat. One day, he saw a frog. The frog lost his home. The rabbit cut out **a piece of** his coat. He made a **new** home for the frog. The coat was not new any more. But the rabbit was happy.

The rabbit saw a cat. The cat was sad because her tail was hurt. The rabbit cut out **another** piece of his coat. He wrapped ⓐ it around her tail. The cat **felt** better. The coat **became** shorter. But the rabbit felt ______(A)______.

●● 주요 단어와 표현

coat 코트, 외투　one day 어느 날　see(- saw) 보다　lose(- lost) 잃다　cut out(- cut out) 잘라 내다　make(- made) 만들다　any more 더 이상　happy 행복한　tail 꼬리　hurt 다친　wrap(- wrapped) 감싸다, 두르다　around ~의 주위에　better (몸·기분이) 나은　shorter 더 짧은

Check Up

정답과 해설 p.2

1 **이 글의 알맞은 제목을 고르세요.**

중심 생각

① 토끼의 특별한 코트
② 토끼와 개구리의 우정
③ 짧아진 고양이의 꼬리

2 **글을 읽고 대답할 수 있는 질문을 고르세요.**

세부 내용

① 개구리의 새 집은 어떻게 생겼나요?
② 고양이는 왜 다쳤나요?
③ 토끼는 친구들을 어떻게 도와주었나요?

3 **밑줄 친 ⓐ it이 가리키는 것을 고르세요.**

세부 내용

① 개구리의 집　② 고양이의 다리　③ 토끼의 코트 조각

4 **글의 빈칸 (A)에 들어갈 말로 가장 알맞은 것을 고르세요.**

빈칸 추론

① older　② happier　③ smaller

5 **글에 등장하는 단어로 빈칸을 채워 보세요.**

중심 생각

A ___ⓐ___ helped a frog and a ___ⓑ___.

ⓐ : ________　ⓑ : ________

Build Up 그림에 알맞은 문장을 연결하세요.

❶

❷

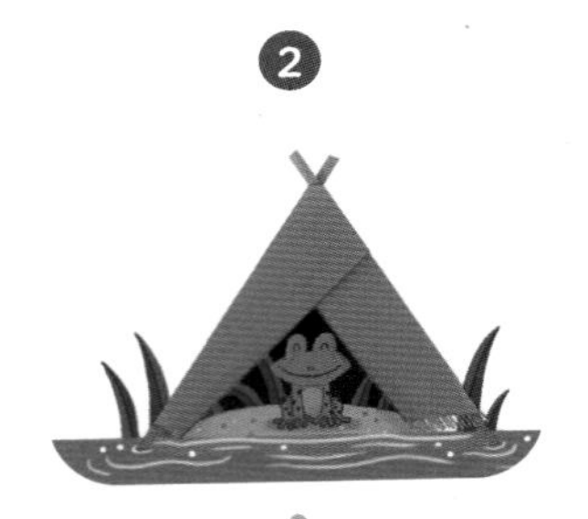

❸

(A) The rabbit's coat was not new, but he was happy.

(B) The frog lost his home.

(C) The rabbit made a new home for the frog.

Sum Up 빈칸에 알맞은 단어를 <보기>에서 찾아 쓰세요.

보기	new	shorter	hurt	home

A rabbit was proud of his ⓐ ________ coat. One day, he saw a frog. The frog lost his home. So the rabbit made a new ⓑ ________ with a piece of his coat. Then the rabbit saw a cat. Her tail was ⓒ ________. The rabbit helped the cat with another piece of his coat. The coat became ⓓ ________, but the rabbit was happy.

Look Up

A 아래 그림에 알맞은 단어를 고르세요.

❶ 

☐ coat
☐ piece

❷ 

☐ new
☐ short

❸ 

☐ hurt
☐ proud

B 주어진 단어의 알맞은 우리말 뜻을 찾아 연결하세요.

❶ lose •	• 두르다
❷ become •	• 잃다
❸ wrap •	• ~해지다
❹ another •	• 또 하나의

C 우리말 해석에 맞도록 <보기>에서 알맞은 단어를 골라 빈칸에 쓰세요.

보기	proud felt piece

❶ 그녀는 행복한 기분이 들어서 그에게 미소를 지었다.

→ She ____________ happy and smiled at him.

❷ 부모님은 우리를 자랑스러워하신다.

→ Our parents are ____________ of us.

❸ 유리 조각 하나가 테이블 아래에 있다.

→ A ____________ of glass is under the table.

Becoming Good Friends

I am Brown. In the past, I didn't **smile** often. I didn't **listen to** others. My friends didn't like me. I didn't like myself, either.

One day, I **talked to** Green. Green said, "You need to be a good friend first." I also talked to Red. Red said, "You're **special**. You have every color inside you. Learn to like ⓐ yourself."

Red was **right**. When **all** the colors are together, they make me, Brown! So I smiled often and listened to others. I tried to be a good friend and ____(A)____ myself. Now, all my friends like me.

●● 주요 단어와 표현

past 과거 often 자주 others 다른 사람들 myself 나 자신 *yourself 너 자신 either (부정문에서) ~도 또한 need to ~해야 한다 first 먼저 every 모든 color 색 inside ~의 안에 learn 배우다 together 함께 try to (- tried to) ~하려고 노력하다

Check Up

정답과 해설 p.4

1 중심 생각

이 글의 교훈으로 가장 알맞은 것을 고르세요.

① 친구에게 언제나 친절해라.
② 항상 친구 말에 귀 기울여라.
③ 먼저 좋은 친구가 되도록 노력해라.

2 세부 내용

글의 내용과 맞는 것에는 O표, 틀린 것에는 X표 하세요.

(a) 과거에 Brown은 자기 자신을 좋아하지 않았다. ________
(b) Green은 Brown이 특별하다고 말했다. ________

3 세부 내용

밑줄 친 ⓐ yourself가 누구를 가리키는지 글에서 찾아 쓰세요.

____

4 빈칸 추론

글의 빈칸 (A)에 들어갈 말로 가장 알맞은 것을 고르세요.

① like ② talk to ③ learn

5 세부 내용

글에 등장하는 단어로 빈칸을 채워 보세요.

Brown didn't ____ⓐ____ often. He didn't ____ⓑ____ to others.

ⓐ : ____________ ⓑ : ____________

Build Up Brown, Green, Red가 나누는 대화를 완성하세요.

보기 right special like first

My friends don't ⓐ __________ me. I don't like myself, either.

Be a good friend ⓑ __________ .

You're ⓒ __________. Learn to like yourself.

You're ⓓ __________. I will try to be a good friend and like myself.

Sum Up 빈칸에 알맞은 단어를 <보기>에서 찾아 쓰세요.

보기 good smiled inside yourself

Brown didn't have many friends. Green said to Brown, "You need to be a ⓐ __________ friend first." Red told Brown, "You have every color ⓑ __________ you. Learn to like ⓒ __________." Red was right. So Brown ⓓ __________ often and listened to others.

Look Up

A 아래 그림에 알맞은 단어를 고르세요.

❶ 

☐ need to
☐ listen

❷ 

☐ learn
☐ smile

❸ 

☐ myself
☐ together

B 주어진 단어의 알맞은 우리말 뜻을 찾아 연결하세요.

❶ special •	• 과거
❷ all •	• ~의 안에
❸ inside •	• 모든
❹ past •	• 특별한

C 우리말 해석에 맞도록 <보기>에서 알맞은 단어를 골라 빈칸에 쓰세요.

보기	listen talked right

❶ 네가 맞아. 정답은 6이야.

→ You're ＿＿＿＿＿＿. The answer is six.

❷ 수업 시간에 나는 선생님의 말씀을 듣는다.

→ I ＿＿＿＿＿＿ to my teacher in class.

❸ 나는 반 친구들에게 말을 걸었다.

→ I ＿＿＿＿＿＿ to my classmates.

Happy Together

Do you have good friends around you? Good friends listen to you and **understand** you. They also help you when you are **in trouble**. We need good friends for our **happiness**.

Friends are also good for your **health**, and many studies show it. When we're with friends, our brains make happy *chemicals. So we feel happy. This happiness **protects** our hearts. But there is more. Happy people have **low** chances of getting diseases. So we live ____(A)____ because of friends.

*chemicals 화학 물질

●● 주요 단어와 표현

also 또한　help 돕다　when ~할 때　good for ~에 좋은　study 연구, 공부　show 보여 주다　brain 뇌　heart 심장, 가슴　more 더 많은 수[양]　chance 가능성　disease 병　because of ~ 때문에

Check Up

정답과 해설 p.6

1 중심 생각

이 글은 무엇에 대해 설명하는 내용인가요?

① 우정과 건강의 관계
② 좋은 친구가 미치는 영향
③ 좋은 친구를 사귀는 방법

2 세부 내용

글의 내용과 맞는 것에는 O표, 틀린 것에는 X표 하세요.

(a) 행복한 화학 물질은 심장에서 만들어진다. ________

(b) 행복한 사람들은 병에 걸릴 가능성이 낮다. ________

3 세부 내용

글에 나온 내용이 아닌 것을 고르세요.

① 좋은 친구의 특징
② 친구가 뇌에 미치는 영향
③ 친구를 행복하게 하는 방법

4 빈칸 추론

글의 빈칸 (A)에 들어갈 말로 가장 알맞은 것을 고르세요.

① faster　② shorter　③ longer

5 중심 생각

글에 등장하는 단어로 빈칸을 채워 보세요.

Good ____ⓐ____ listen to you and help you when you are ____ⓑ____.

ⓐ : ____________　ⓑ : ____________

STEP 2

Build Up

글을 읽고, 빈칸에 <보기>의 단어를 채워 좋은 친구의 특징을 완성하세요.

보기 health in trouble understand help

Good friends

1. listen to you and ⓐ ____________ you.
2. ⓑ ____________ you when you are ⓒ ____________.
3. are also good for your ⓓ ____________.

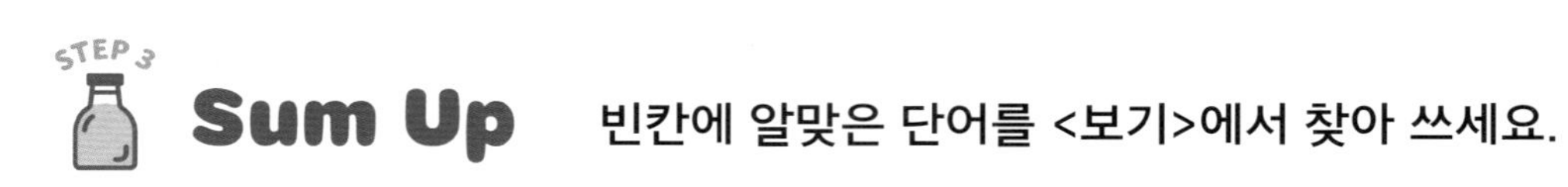

STEP 3

Sum Up

빈칸에 알맞은 단어를 <보기>에서 찾아 쓰세요.

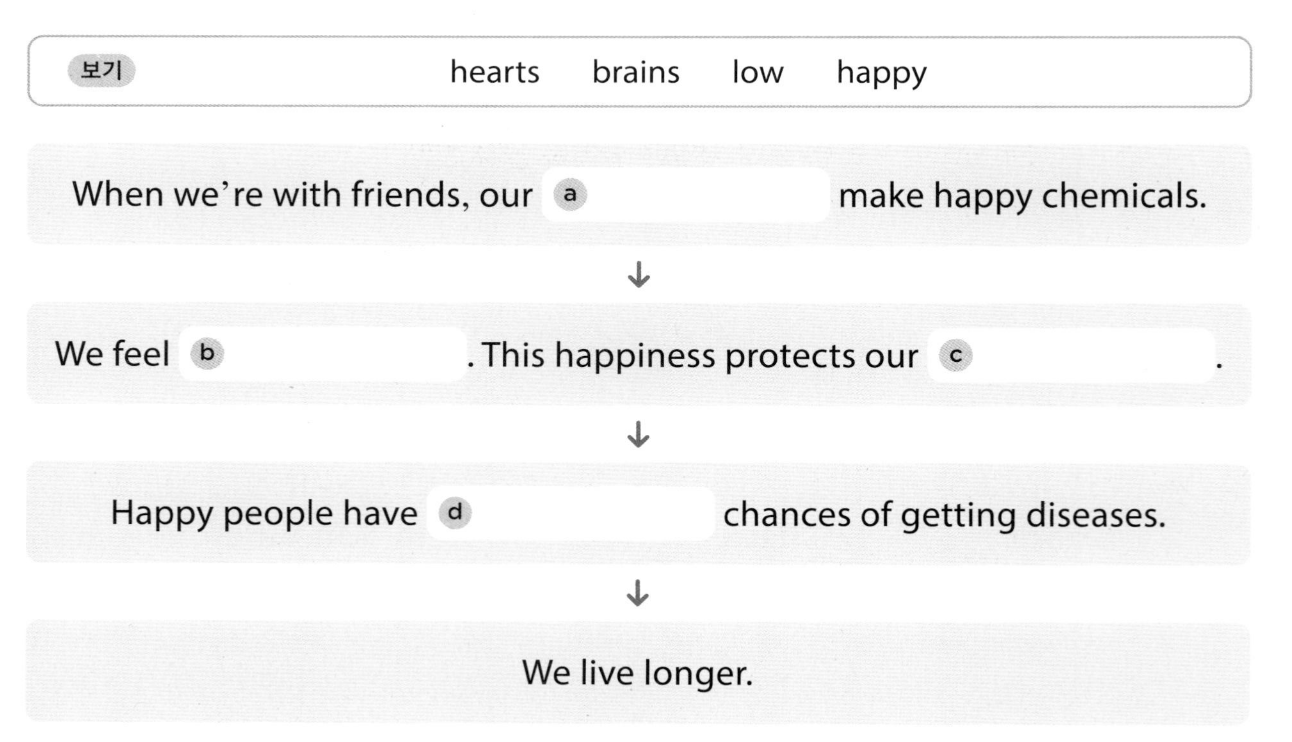

보기 hearts brains low happy

When we're with friends, our ⓐ ____________ make happy chemicals.

↓

We feel ⓑ ____________. This happiness protects our ⓒ ____________.

↓

Happy people have ⓓ ____________ chances of getting diseases.

↓

We live longer.

Look Up

A 아래 그림에 알맞은 단어를 고르세요.

❶

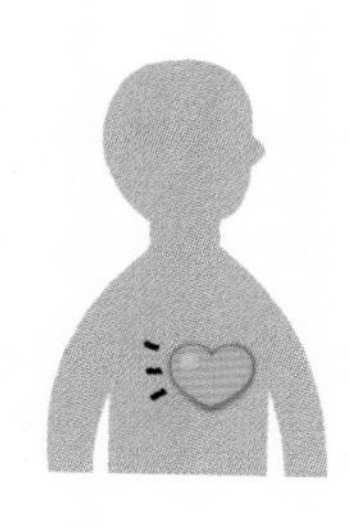

☐ brain
☐ heart

❷

☐ health
☐ trouble

❸

☐ study
☐ chance

B 주어진 단어의 알맞은 우리말 뜻을 찾아 연결하세요.

❶ low	•	• 행복
❷ show	•	• 이해하다
❸ happiness	•	• 낮은
❹ understand	•	• 보여 주다

C 우리말 해석에 맞도록 <보기>에서 알맞은 단어를 골라 빈칸에 쓰세요.

보기	health	trouble	protect

❶ 선글라스는 햇볕으로부터 눈을 보호한다.

→ Sunglasses ____________ your eyes from the sun.

❷ 채소는 우리 건강에 좋다.

→ Vegetables are good for our ____________.

❸ 나는 Bob 때문에 어려움에 처했다.

→ I was in ____________ because of Bob.

Ford and Edison

Thomas Edison was Henry Ford's boyhood **hero**. In 1890, Ford worked for Edison's company. But he wanted to **invent** cars and started inventing one.

Ford met Edison in 1896. Edison **gave advice on** Ford's car. From then on, their friendship **began**. They traveled together, and Ford bought a vacation home **next to** Edison's.

Ford wanted to keep Edison's last breath **before** Edison's death. So Edison's son put it in a test tube and gave the tube to Ford. Ford kept it until his death.

주요 단어와 표현

boyhood 어린 시절 company 회사 want to(- wanted to) ~하기를 원하다 meet(- met) 만나다 from then on 그때부터 friendship 우정 travel(- traveled) 여행하다 buy(- bought) 사다 vacation home 별장 keep(- kept) 간직하다 last 마지막의 breath 숨, 호흡 death 죽음 put(- put) 넣다 test tube(= tube) 시험관 give(- gave) 주다 until ~까지

정답과 해설 p.9

1 이 글의 알맞은 제목을 고르세요.

중심 생각

① Ford의 스승, Edison

② Ford와 Edison의 우정

③ Ford와 Edison의 발명품

2 글의 내용과 틀린 것을 고르세요.

세부 내용

① Ford는 Edison의 회사에서 일했다.

② Edison은 Ford의 자동차에 대해 조언했다.

③ Ford는 Edison의 별장을 샀다.

3 글에서 Ford가 한 일이 아닌 것을 고르세요.

세부 내용

① 자동차 발명하기

② Edison과 여행하기

③ 시험관에 Edison의 숨 넣기

4 글에 등장하는 단어로 빈칸을 채워 보세요.

세부 내용

Ford ____ⓐ____ Edison in 1896, and their ____ⓑ____ began.

ⓐ : ____________ ⓑ : ____________

STEP 2

Build Up 아래 문장에 알맞은 그림을 연결하세요.

1. Edison was Ford's boyhood hero. •
2. Edison gave advice on Ford's car. •
3. Ford and Edison traveled together. •
4. Ford kept Edison's last breath in a test tube until his death. •

• (A) 

• (B) 

• (C) 

• (D) 

STEP 3

Sum Up 빈칸에 알맞은 단어를 <보기>에서 찾아 쓰세요.

보기	breath	next to	advice	gave

Ford worked for Edison's company. When he met Edison, Edison gave ⓐ ______ on Ford's car. They became friends from then on. Ford bought a vacation home ⓑ ______ Edison's. When Edison died, Edison's son ⓒ ______ a test tube to Ford. There was Edison's last ⓓ ______ in it.

Look Up

A 아래 그림에 알맞은 단어를 고르세요.

❶ 

☐ keep
☐ give

❷ 

☐ put
☐ invent

❸ 

☐ before
☐ next to

B 주어진 단어의 알맞은 우리말 뜻을 찾아 연결하세요.

❶ hero •	• 사다
❷ buy •	• 여행하다
❸ meet •	• 만나다
❹ travel •	• 영웅

C 우리말 해석에 맞도록 <보기>에서 알맞은 단어를 골라 빈칸에 쓰세요.

보기 advice begin before

❶ 저녁 식사 전에 숙제를 해라.

→ Do your homework ________ dinner.

❷ 당신의 조언이 매우 도움이 되었어요.

→ Your ________ was very helpful.

❸ 콘서트는 언제 시작되나요?

→ When does the concert ________ ?

Fashion

아침마다 무엇을 입어야 할지 고민되나요? 여기 매일 아침 옷을 여러 번 갈아입는 Olivia의 이야기를 읽어 보아요.

01 Olivia's Fashion

busy	형 바쁜
look (- looked)	동 1 ~해 보이다 2 보다, 바라보다
anywhere	부 어디에서도
light	형 (색깔이) 연한, 옅은
perfect	형 완벽한
ready	형 준비가 된 *ready for ~에 준비된

옛날부터 입어 와서 현재까지 전해 내려오는 의상을 전통 의상이라고 해요. 전통 의상은 나라마다 다양한 특색을 가지고 있어요.

02 Special Clothing

clothing	명 (특정한 종류의) 옷, 의복
long	형 1 (길이가) 긴 2 길이가 ~인
tight	형 (옷 등이) 꽉 조이는, 딱 붙는
mean (- meant)	동 ~라는 의미이다
wear (- wore)	동 (옷 등을) 입고 있다
uniform	명 제복, 군복 *school uniform 교복

VOCA

LITERATURE

처음 학교에 간 날, Kate는 특별한 옷으로 반 친구들을 놀라게 해요. 그 특별한 옷은 할머니의 사랑이 듬뿍 담긴 아오자이예요.

03 Kate's Ao Dai

classmate	명 반 친구
laugh at (- laughed at)	~을 비웃다, 놀리다
Welcome to ~.	~에 오신 것을 환영합니다.
stand up (- stood up)	일어서다
festival	명 축제
dance (- danced)	동 춤추다
everyone	대 모든 사람, 모두

PEOPLE

이 디자이너는 답답하고 장식이 많았던 여성복을 간단하고 입기 편한 옷으로 만들어 20세기 여성복 패션에 커다란 변화를 주었어요.

04 Coco Chanel

learn (- learned)	동 배우다, 학습하다
open (- opened)	동 열다
simple	형 간결한, 꾸밈없는
clothes	명 옷, 의복
create (- created)	동 만들어 내다, 창작하다
type	명 유형, 종류 *type of ~의 유형

Olivia's Fashion

Olivia is **busy** every morning. She wants to **look** good at school. She always changes her clothes three times.

One morning, she put on a blue shirt. Then she looked for her dark jeans. But she couldn't find them **anywhere**. Oh no! They were still in the washing machine.

Olivia put on white pants. She **looked** in the mirror and said, "They're too **light**." Then she put on gray pants. "Hmm... they are not bad." Then she picked black pants and put them on. "They look **perfect**." Finally, she was **ready for** school.

●● 주요 단어와 표현

fashion 패션 every 매 ~, ~마다 change clothes 옷을 갈아입다 three times 세 번 put on(- put on) 입다 shirt 셔츠 look for(- looked for) ~을 찾다 dark (색깔이) 진한, 짙은 jeans 청바지 find 찾다 still 아직도 washing machine 세탁기 pants 바지 mirror 거울 say(- said) 말하다 gray 회색의 pick(- picked) 고르다, 선택하다 finally 마침내

Check Up

정답과 해설 p.12

1 중심 생각

이 글의 알맞은 제목을 고르세요.

① 완벽한 바지 찾기

② Olivia의 특별한 셔츠

③ 새로운 디자이너의 탄생

2 세부 내용

글의 내용과 맞는 것에는 O표, 틀린 것에는 X표 하세요.

(a) Olivia는 아침마다 옷을 세 번 갈아입는다. ________

(b) Olivia는 세탁기에서 흰색 바지를 찾았다. ________

3 세부 내용

Olivia가 학교에 입고 간 옷으로 가장 알맞은 것을 고르세요.

① 

② 

③ 

4 세부 내용

글에 등장하는 단어로 빈칸을 채워 보세요.

Olivia is ____ⓐ____ every morning because she ____ⓑ____ her clothes three times.

ⓐ : ______________ ⓑ : ______________

STEP 2 Build Up 주어진 문장을 알맞은 그림에 연결하세요.

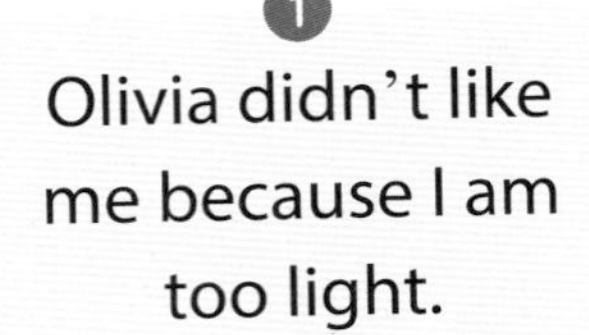

❶ Olivia didn't like me because I am too light.

❷ I don't look bad with the shirt. But Olivia didn't pick me.

❸ Olivia picked me. The blue shirt and I look good together.

(A)

(B)

(C)

STEP 3 Sum Up 빈칸에 알맞은 단어를 <보기>에서 찾아 쓰세요.

보기	gray	perfect	busy	looked for

Olivia changes her clothes three times for school. So she is ⓐ ______ every morning. One morning, Olivia ⓑ ______ her dark jeans. But the jeans were in the washing machine. She had three choices: white, ⓒ ______, or black pants. She picked the black pants. They looked ⓓ ______ with the blue shirt.

Look Up

A 아래 그림에 알맞은 단어를 고르세요.

❶
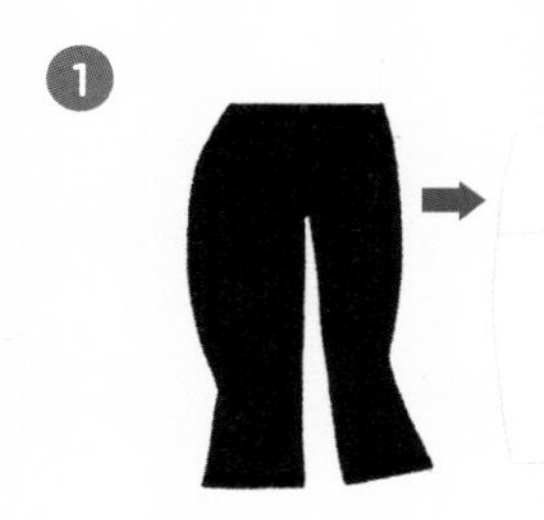

- ☐ dark
- ☐ light

❷

- ☐ shirt
- ☐ jeans

❸

- ☐ busy
- ☐ ready

B 주어진 단어의 알맞은 우리말 뜻을 찾아 연결하세요.

❶ put on •	• 고르다
❷ anywhere •	• 어디에서도
❸ pick •	• ~해 보이다; 보다
❹ look •	• 입다

C 우리말 해석에 맞도록 <보기>에서 알맞은 단어를 골라 빈칸에 쓰세요.

보기	ready	perfect	busy

❶ 나의 엄마는 아침마다 매우 바쁘시다.

→ My mom is very ____________ every morning.

❷ 너는 여행 갈 준비가 되었니?

→ Are you ____________ for the trip?

❸ 날씨는 소풍 가기에 완벽했다.

→ The weather was ____________ for a picnic.

Special Clothing

Hanbok is traditional Korean **clothing**. Many other countries have traditional clothing, too.

*Ao dai is women's clothing in Vietnam. It's a **long** and **tight** dress. Ao dai **means** "long shirt." Women **wear** it with long pants. They wear ao dais at special events like weddings. But in some towns, girls wear them as their school **uniform**.

In some countries, people wear ____(A)____ every day. For example, many women in India wear a **sari. It's usually 4 to 8 meters **long**. Women wrap it around their bodies.

*ao dai 아오자이 ((베트남 여성 전통 의상))
**sari (인도 여성들이 입는) 사리

●● 주요 단어와 표현

traditional 전통적인 other 다른 country 나라 woman 여자, 여성 *women 여자들, 여성들 Vietnam 베트남 dress 원피스, 드레스 special 특별한 event 행사 like ~와 같은 wedding 결혼식 town 도시 as ~로서 for example 예를 들면 India 인도 usually 보통 to ~까지 meter 미터 wrap A around B A를 B에 두르다

Check Up

정답과 해설 p.14

1 중심 생각

이 글은 무엇에 대해 설명하는 내용인가요?

① 한복을 입는 시기
② 베트남 의상의 변천사
③ 세계의 전통 의상

2 세부 내용

아오자이에 대한 설명으로 틀린 것을 고르세요.

① 여성복이다. ② 긴 바지이다. ③ 교복으로 입기도 한다.

3 세부 내용

글의 내용과 맞는 것에는 O표, 틀린 것에는 X표 하세요.

(a) 아오자이는 길고 꽉 조이는 것이 특징이다. ________
(b) 사리는 몸에 두르는 것이다. ________

4 빈칸 추론

글의 빈칸 (A)에 들어갈 말로 가장 알맞은 것을 고르세요.

① school uniform ② women's clothing ③ traditional clothing

5 중심 생각

글에 등장하는 단어로 빈칸을 채워 보세요.

Many countries have traditional ____ⓐ____, and people wear it at ____ⓑ____ events or every day.

ⓐ : ____________ ⓑ : ____________

STEP 2 Build Up

글을 읽고, 빈칸에 <보기>의 단어를 채워 베트남과 인도 전통 의상의 특징을 완성하세요.

보기 every long pants tight wrap

	Vietnam	India
Traditional clothing for women	Ao dai	Sari
What does it look like?	It's a long and ⓐ ________ dress.	It's 4 to 8 meters ⓒ ________.
How do women wear it?	Women wear it with long ⓑ ________.	Women ⓓ ________ it around their bodies.
When do women wear it?	Women wear it at special events or as their school uniform.	Women wear it ⓔ ________ day.

STEP 3 Sum Up

빈칸에 알맞은 단어를 <보기>에서 찾아 쓰세요.

보기 women long with clothing bodies

Traditional clothing is different in every country. Hanbok is traditional Korean ⓐ ________. Ao dai is women's clothing in Vietnam. It's a ⓑ ________ and tight dress, and women wear it ⓒ ________ long pants. In India, many ⓓ ________ wear a sari. It's very long, and women wrap it around their ⓔ ________.

Look Up

A 아래 그림에 알맞은 단어를 고르세요.

❶

☐ wrap
☐ wear

❷

☐ tight
☐ long

❸

☐ meter
☐ uniform

B 주어진 단어의 알맞은 우리말 뜻을 찾아 연결하세요.

❶ traditional •	• 옷, 의복
❷ special •	• (길이가) 긴; 길이가 ~인
❸ clothing •	• 전통적인
❹ long •	• 특별한

C 우리말 해석에 맞도록 <보기>에서 알맞은 단어를 골라 빈칸에 쓰세요.

보기	means tight wears

❶ 내 여동생은 교복을 입는다.

→ My sister ______ a school uniform.

❷ 빨간 신호등은 '정지'를 의미한다.

→ A red traffic light ______ "stop."

❸ 이 청바지는 너무 꽉 조이네요.

→ These jeans are too ______.

Kate's Ao Dai

It was the first day of school. Kate put on her ao dai and went to school. Her **classmates laughed at** her. The teacher came in. "**Welcome to** the first grade. Please introduce yourselves."

Kate **stood up** and said, "My name is Kate. Last winter, I visited my grandmother in Vietnam. She made this dress for me. We went to a **festival**. Many people were **dancing** like this."

Kate started ______(A)______. When she finished, the teacher clapped. "That was beautiful, Kate." And **everyone** else started to clap, too.

●● 주요 단어와 표현

first 첫 번째의 *first grade 1학년 go(- went) 가다 come in(- came in) 들어오다 introduce 소개하다 yourself 네 자신 *yourselves 여러분 자신 last 지난 visit(- visited) 방문하다 make(- made) 만들다 finish(- finished) 끝내다 beautiful 아름다운 clap(- clapped) 박수를 치다 else 그 밖의, 다른

Check Up

정답과 해설 p.17

1 중심 생각

Kate의 자기소개 후에 반 친구들의 반응이 어떻게 달라졌나요?

① 놀라는 → 걱정하는
② 비웃는 → 감탄하는
③ 부러워하는 → 실망하는

2 세부 내용

Kate에 대해 글의 내용과 <u>틀린</u> 것을 고르세요.

① 1학년이다.
② 지난여름에 베트남에 갔다.
③ 베트남의 한 축제에서 춤추는 사람들을 봤다.

3 빈칸 추론

글의 빈칸 (A)에 들어갈 말로 가장 알맞은 것을 고르세요.

① to dance　② to sing　③ to talk

4 세부 내용

글에 등장하는 단어로 빈칸을 채워 보세요.

Kate put on her ao dai and ____ⓐ____ to school. Her classmates ____ⓑ____ her.

ⓐ : ____________　ⓑ : ____________

STEP 2

Build Up 빈칸에 알맞은 단어를 <보기>에서 찾아 쓰세요.

보기	dancing	name	visited	festival

My ⓐ ________________ is Kate. Last winter, I ⓑ ________________ Vietnam. My grandmother lives there. She made this ao dai for me. We went to a ⓒ ________________. Many people were ⓓ ________________.

STEP 3

Sum Up 문장에 알맞은 단어를 고른 후, 이야기의 순서에 맞게 번호를 쓰세요.

①

Her teacher and classmates ⓐ clapped / stood up when Kate finished dancing.

②

Kate went to school in ao dai, and her ⓑ classmates / teacher laughed at her.

③

Kate stood up and introduced herself. Then she started to ⓒ sing / dance .

④

The teacher came in and said, " ⓓ Visit / Welcome to the first grade."

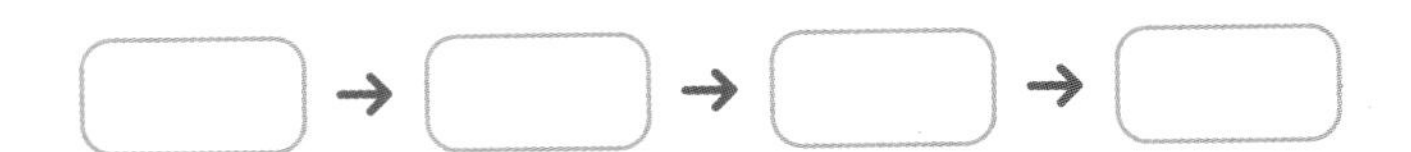

☐ → ☐ → ☐ → ☐

Look Up

A 아래 그림에 알맞은 단어를 고르세요.

❶

☐ laugh at
☐ come in

❷

☐ tell
☐ dance

❸

☐ clap
☐ stand up

B 주어진 단어의 알맞은 우리말 뜻을 찾아 연결하세요.

❶ festival •	• 반 친구
❷ everyone •	• 소개하다
❸ classmate •	• 축제
❹ introduce •	• 모든 사람

C 우리말 해석에 맞도록 <보기>에서 알맞은 단어를 골라 빈칸에 쓰세요.

보기	welcome to	dance	stood up

❶ 그는 음악에 맞춰 춤추기 시작했다.

→ He started to ______________ to the music.

❷ 저희 집에 오신 것을 환영합니다.

→ ______________ my home.

❸ 그는 일어서서 질문에 대답했다.

→ He ______________ and answered the question.

Coco Chanel

Gabrielle Chanel **learned** to sew at 11. She started to sew for money. But at night, she sang on stage. People called her Coco. She made money and **opened** a hat shop.

One day, she saw other women at a party. They couldn't enjoy the party because of their tight dresses. Chanel decided to make **simple** and comfortable **clothes**. Nobody used the color black in fashion then, ____(A)____ Chanel was different. She used black and **created** a new **type of** fashion. Her clothes changed women's clothing forever.

●● 주요 단어와 표현

sew 바느질하다 sing(- sang) 노래하다 stage 무대 call A B(- called A B) A를 B라고 부르다 make money(- made money) 돈을 벌다 shop 가게, 상점 other 다른 enjoy 즐기다 decide to(- decided to) ~하기로 결심하다 comfortable 편안한 nobody 아무도 ~않다 use(- used) 사용하다 then 그때 different 다른 change(- changed) 바꾸다, 변화시키다 forever 영원히

Check Up

정답과 해설 p.19

1 이 글의 유형으로 가장 알맞은 것을 고르세요.

중심 생각

① 편지 ② 일기 ③ 전기문

2 Chanel에 대해 글의 내용과 틀린 것을 고르세요.

세부 내용

① 바느질로 돈을 벌기 시작했다.
② Coco라는 이름으로 불리기도 했다.
③ 다양한 색을 사용한 패션을 선보였다.

3 Chanel이 한 일이 아닌 것을 고르세요.

세부 내용

① 모자 가게 열기
② 무대에서 노래 부르기
③ 화려한 드레스 만들기

4 글의 빈칸 (A)에 들어갈 말로 가장 알맞은 것을 고르세요.

빈칸 추론

① but ② and ③ because

5 글에 등장하는 단어로 빈칸을 채워 보세요.

중심 생각

Chanel used the color ____ⓐ____ and ____ⓑ____ women's clothing forever.

ⓐ : ________ ⓑ : ________

STEP 2

Build Up 주어진 원인에 알맞은 결과를 연결하세요.

Cause 원인		**Effect** 결과
❶ Chanel wanted to make money. •		• (A) Chanel decided to make simple and comfortable clothes.
❷ Chanel used the color black and created a new type of fashion. •		• (B) Chanel sewed and sang at night.
❸ At a party, Chanel saw other women in tight dresses. •		• (C) Chanel's clothes changed women's clothing forever.

STEP 3

Sum Up 이야기 순서에 맞게 빈칸에 번호를 쓰세요.

❶

At night, she sang on stage. People called her Coco.

❷

Chanel learned to sew at 11. She started to make money.

❸

She made simple and comfortable clothes with the color black.

❹

She made money and opened a hat shop.

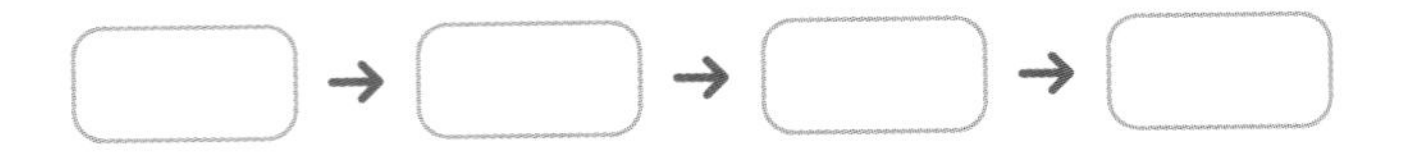

Look Up

A 아래 그림에 알맞은 단어를 고르세요.

❶

☐ money
☐ stage

❷

☐ shop
☐ party

❸

☐ sew
☐ change

B 주어진 단어의 알맞은 우리말 뜻을 찾아 연결하세요.

❶ learn •	• 유형, 종류
❷ comfortable •	• 간결한
❸ type •	• 배우다
❹ simple •	• 편안한

C 우리말 해석에 맞도록 <보기>에서 알맞은 단어를 골라 빈칸에 쓰세요.

보기	open	clothes	created

❶ 그는 새로운 패션을 만들어 냈다.

→ He ________ a new fashion.

❷ 나는 인형을 위한 옷을 만드는 것을 좋아한다.

→ I like to make ________ for my doll.

❸ 내 삼촌은 새로운 레스토랑을 열 것이다.

→ My uncle will ________ a new restaurant.

Lightning

비 오는 날에 창밖을 바라본 적이 있나요?
어두워진 하늘에 비가 내리면서
번개와 천둥이 치기 시작하면,
가끔 무서울 때도 있어요.

01 Weather Change

hear (- heard)	동 듣다, 들리다
sound	명 소리
start (- started)	동 시작하다
loud	형 (소리가) 큰, 시끄러운 *louder 더 큰
after	전 (시간·때) ~ 후에
watch (- watched)	동 보다, 지켜보다

사람들은 번개에 대해 알지 못했기 때문에,
번개와 관련된 많은 이야기를 만들어 냈어요.
이런 이야기는 입에서 입으로 전해졌답니다.

02 Powerful Lightning

test	명 실험, 테스트 *do a test 실험을 하다
about	전 ~에 대한
only	부 오직 ~만
powerful	형 강한, 강력한
control (- controlled)	동 지배하다, 통제하다
fly (- flew)	동 날다

VOCA

03

번개는 갑자기 내리치면서 여러 사고의 원인이 되기도 해요. 갑작스럽게 번개를 마주한 Brandon의 이야기를 읽어 보아요.

Dangerous Lightning

fish (- fished)	동 낚시하다
weather	명 날씨
near	전 ~의 근처에, ~에서 가까이
shock	명 충격
memory	명 기억
hurt	형 다친

04

천둥과 번개가 치는 날씨에도 비행기는 하늘을 날 수 있어요. 만약에 비행기가 벼락을 맞는다면 무슨 일이 일어날까요?

Airplanes and Lightning

hit (- hit)	동 부딪치다, 충돌하다
nothing	대 아무것도 (~아니다, 없다)
safe	형 안전한
enter (- entered)	동 ~에 들어가다
send (- sent)	동 보내다
afraid	형 두려워하는, 겁내는

Weather Change

One day, Anna and Jack were playing outside. They **heard** a **sound** from the sky. The sky became dark with gray clouds. A storm was coming. So Anna took Jack inside the house.

Soon it **started** raining, with lightning and thunder. Anna and Jack decided to play a board game. When they were playing the game, the thunder became **louder**. **After** the game, they **watched** the sky. The sky became white with lightning every few minutes.

●● 주요 단어와 표현

play 놀다; (게임을) 하다 outside(↔ inside) 밖에서; ~ 밖으로(↔ 안에서; ~ 안으로) become(- became) ~해지다 dark 어두운 gray 회색의, 잿빛의 storm 폭풍우 take(- took) 데리고 가다 soon 곧 rain 비가 오다 lightning 번개, 벼락 thunder 천둥(소리) decide to(- decided to) ~하기로 결심하다 white 흰, 하얀 every few minutes 몇 분마다

Check Up

정답과 해설 p.22

1 중심 생각

이 글의 알맞은 제목을 고르세요.

① 흐린 날의 소풍　② 재미있는 보드 게임　③ 폭풍우 치는 하루

2 세부 내용

글의 내용과 맞는 것에는 ○표, 틀린 것에는 ×표 하세요.

(a) 비가 오기 전에 Anna와 Jack은 집에서 놀고 있었다. ______

(b) 하늘은 회색 구름으로 어두워졌다. ______

3 세부 내용

보드 게임이 끝난 후에 Anna와 Jack이 한 일을 고르세요.

① 집 밖에서 놀기　② 하늘 관찰하기　③ 하늘 그림 그리기

4 세부 내용

글에 등장하는 단어로 빈칸을 채워 보세요.

The sky became ___ⓐ___ with gray clouds. A ___ⓑ___ was coming.

ⓐ : ______　ⓑ : ______

Build Up

글을 읽고, 빈칸에 <보기>의 단어를 채워 폭풍우가 치는 날의 날씨 변화 과정을 완성하세요.

보기	raining	louder	dark	sound

↓

There is a ⓐ ______________ from the sky.

↓

The sky becomes ⓑ ______________.

↓

It starts ⓒ ______________ with lightning.

↓

The thunder becomes ⓓ ______________.

Sum Up

이야기 순서에 맞게 빈칸에 번호를 쓰세요.

1 

Anna and Jack watched the sky. The sky became white every few minutes.

2 

Anna and Jack played a board game, and the thunder became louder.

3 

The sky became dark with gray clouds. Anna took Jack inside the house.

4 

Anna and Jack were playing outside.

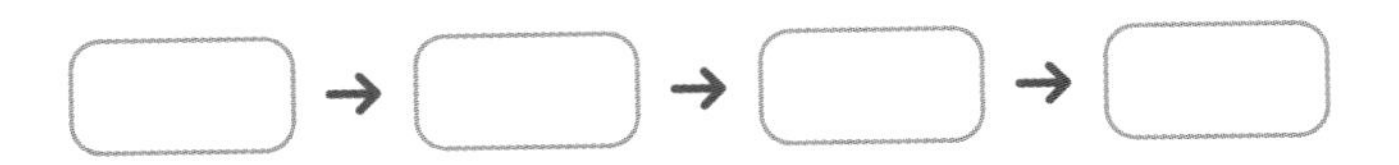

[ ] → [ ] → [ ] → [ ]

Look Up

A 아래 그림에 알맞은 단어를 고르세요.

❶ 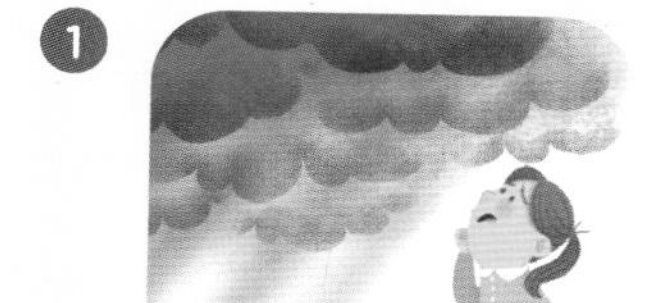

☐ take
☐ watch

❷ 

☐ loud
☐ dark

❸ 

☐ play
☐ hear

B 주어진 단어의 알맞은 우리말 뜻을 찾아 연결하세요.

❶ sound •	• 번개
❷ gray •	• 소리
❸ lightning •	• ~ 후에
❹ after •	• 회색의, 잿빛의

C 우리말 해석에 맞도록 <보기>에서 알맞은 단어를 골라 빈칸에 쓰세요.

보기 started watched heard

❶ 우리는 점심시간 후에 축구를 하기 시작했다.

→ We ________ playing soccer after lunchtime.

❷ 나는 놀라운 소식을 들었다.

→ I ________ the surprising news.

❸ 우리는 산에서 해돋이를 보았다.

→ We ________ the sunrise from the mountain.

Powerful Lightning

Benjamin Franklin **did a test on** lightning with his kite and key. But before the test, people didn't know **about** lightning scientifically. So there were many stories about it. In those old stories, **only** gods and **powerful** animals could use lightning.

In *Viking stories, Thor had a hammer. He **controlled** lightning and thunder with it. In Greek stories, Zeus got lightning from his uncles. He became the king of the gods because of it. In another story from a Native American **tribe, lightning came from a bird. When the bird flashed its eyes, it created lightning. Then the bird **flew** and created thunder.

*Viking 바이킹 ((스칸디나비아 반도의 노르만족)) **tribe 부족

●● 주요 단어와 표현

kite 연 key 열쇠 before ~ 전에 know 알다 scientifically 과학적으로 story 이야기 hammer 망치 Greek 그리스의 get(- got) 받다 uncle 삼촌 another 또 하나의 Native American 북미 원주민 come from (- came from) ~에서 나오다 flash(- flashed) 번쩍이다 create(- created) 만들어 내다 then 그 다음에

Check Up

정답과 해설 p.24

1 이 글은 무엇에 대해 설명하는 글인가요?

중심 생각

번개에 대한 ____________

① 다양한 실험 ② 오래된 전설 ③ 잘못된 믿음

2 글의 내용과 맞는 것에는 ○표, 틀린 것에는 ×표 하세요.

세부 내용

(a) 번개 실험 전에 사람들은 번개에 대한 과학적 사실을 알고 있었다. ________

(b) 그리스인들은 번개가 새로부터 나온다고 믿었다. ________

3 글에 나온 내용이 아닌 것을 고르세요.

세부 내용

① 번개 실험에 사용된 도구

② 번개를 사용한 신의 이름

③ 번개를 일으킨 새의 종류

4 글에 등장하는 단어로 빈칸을 채워 보세요.

세부 내용

In old stories about ____ⓐ____, only gods and powerful animals could ____ⓑ____ it.

ⓐ : ____________ ⓑ : ____________

STEP 2 Build Up 아래 인물을 각각 설명하는 내용에 알맞게 연결하세요.

1 
Benjamin Franklin

2 
Thor

3 
Zeus

4 
Native American

(A) controlled lightning and thunder with his hammer.

(B) became the king of the gods because of lightning.

(C) told a story about a bird with lightning.

(D) did a test on lightning with his kite and key.

STEP 3 Sum Up 빈칸에 알맞은 단어를 <보기>에서 찾아 쓰세요.

보기	powerful	about	hammer	eyes

There were many stories ⓐ ________ lightning. In Viking stories, Thor used his ⓑ ________ and controlled lightning. In Greek stories, Zeus got lightning from his uncles. In other stories, ⓒ ________  animals used lightning. In one story, a bird created lightning when it flashed its ⓓ ________ .

Look Up

A 아래 그림에 알맞은 단어를 고르세요.

❶ 

- ☐ test
- ☐ story

❷ 

- ☐ fly
- ☐ flash

❸ 

- ☐ kite
- ☐ hammer

B 주어진 단어의 알맞은 우리말 뜻을 찾아 연결하세요.

❶ powerful •	• ~에 대한
❷ only •	• 오직 ~만
❸ uncle •	• 강한
❹ about •	• 삼촌

C 우리말 해석에 맞도록 <보기>에서 알맞은 단어를 골라 빈칸에 쓰세요.

보기 control　test　flew

❶ 새 한 마리가 집 안으로 날아들었다.

→ A bird ______________ into the house.

❷ 우리는 날씨를 제어할 수 없다.

→ We can't ______________ the weather.

❸ 그 과학자는 그 기계를 실험했다.

→ The scientist did a ______________ on the machine.

Dangerous Lightning

On Saturday, Brandon was **fishing** with his friends. The **weather** was a little cloudy. Suddenly, it became cold. Brandon heard thunder from a distance. He told his friends, "Let's go home. It will start raining soon."

Brandon and his friends were leaving. Then suddenly, lightning struck a tree **near** them. Because of the **shock** from the lightning, Brandon fell to the ground. He lost all **memories** of that day. Others were also **hurt**, ____(A)____ they were okay. Everyone felt lucky because ⓐ all of them survived the lightning strike!

●● 주요 단어와 표현

a little 조금, 약간 suddenly 갑자기 from a distance 멀리서 tell(- told) 말하다 leave 떠나다 strike(- struck) (세게) 치다, 부딪치다 *lightning strike 벼락 fall(- fell) 넘어지다, 쓰러지다 ground 땅 lose(- lost) 잃다 others 다른 사람들 also 또한 feel(- felt) 느끼다 lucky 운이 좋은 all of ~의 모두 survive(- survived) ~에서 살아남다

Check Up

정답과 해설 p.26

1 이 글의 알맞은 제목을 고르세요.

중심 생각

① 비오는 날의 낚시 여행
② 벼락을 맞은 남자의 이야기
③ 모든 기억을 되찾은 남자의 이야기

2 Brandon에 대한 설명 중 틀린 것을 고르세요.

세부 내용

① 토요일에 친구들과 낚시하러 갔다.
② 비를 맞으며 낚시했다.
③ 벼락을 맞은 날의 기억을 잃었다.

3 글의 빈칸 (A)에 들어갈 말로 가장 알맞은 것을 고르세요.

빈칸 추론

① and ② so ③ but

4 밑줄 친 ⓐ all of them이 누구를 가리키는지 글에서 찾아 쓰세요. (4단어)

세부 내용

____

5 글에 등장하는 단어로 빈칸을 채워 보세요.

세부 내용

Brandon ____ⓐ____ to the ground and lost all ____ⓑ____ of that day.

ⓐ : __________ ⓑ : __________

STEP 2 Build Up 날씨 변화에 따른 사건의 순서에 맞게 빈칸에 번호를 쓰세요.

1. Brandon and his friends were leaving.

2. The weather was cloudy, and suddenly it became cold.

3. Brandon heard thunder from a distance.

4. Then suddenly, lightning struck a tree near them.

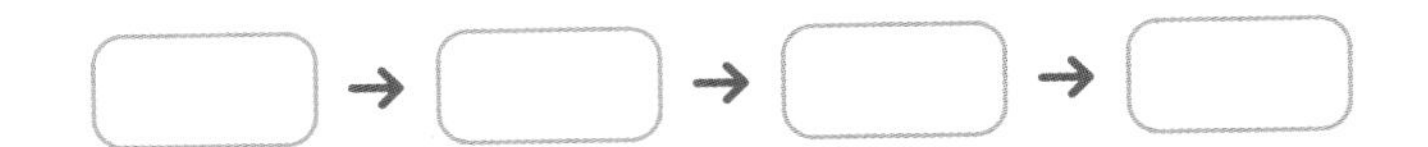

STEP 3 Sum Up 빈칸에 알맞은 단어를 <보기>에서 찾아 쓰세요.

보기 struck hurt fell weather

On Saturday, Brandon was fishing with his friends. But later, they were all leaving because of the cloudy ⓐ ______. Then suddenly, lightning ⓑ ______ a tree, and Brandon ⓒ ______ to the ground. He lost all memories of that day. His friends were also ⓓ ______, but they were okay. They felt lucky.

Look Up

A 아래 그림에 알맞은 단어를 고르세요.

❶  

- ☐ fall
- ☐ feel

❷ 

- ☐ shock
- ☐ weather

❸ 

- ☐ fish
- ☐ strike

B 주어진 단어의 알맞은 우리말 뜻을 찾아 연결하세요.

❶ survive •	• 떠나다
❷ lucky •	• ~에서 살아남다
❸ ground •	• 땅
❹ leave •	• 운이 좋은

C 우리말 해석에 맞도록 <보기>에서 알맞은 단어를 골라 빈칸에 쓰세요.

보기	weather near memories

❶ 오늘 날씨가 어떠니?

→ How is the ________ today?

❷ 나는 할머니에 대한 행복한 기억들이 있다.

→ I have happy ________ of my grandmother.

❸ 그녀는 학교 근처에서 산다.

→ She lives ________ the school.

Airplanes and Lightning

Does lightning **hit** airplanes? Yes, it happens every year. But don't worry about it. **Nothing** happens inside the airplane.

Why are you **safe** in the airplane? Lightning **enters** the nose of the plane. ⓐ It travels through the outside of the plane. Then ⓑ it goes out through the tail. Today, people make airplanes with *aluminum. The aluminum **sends** lightning into the air. ⓒ It also protects the engine and fuel tank. So don't be **afraid** when lightning hits an airplane. You are ____(A)____ in it.

*aluminum 알루미늄

●● 주요 단어와 표현

airplane(= plane) 비행기 happen 발생하다 inside(↔ outside) ~의 안에; 안쪽(↔ 밖에; 겉면) worry 걱정하다 nose (항공기 등의) 앞부분 travel 이동하다 through ~을 통해서, ~을 지나서 go out 나가다 tail (항공기 등의) 꼬리 부분 into the air 공기 중으로 protect 보호하다 engine 엔진 fuel tank 연료 탱크

Check Up

정답과 해설 p.29

1 중심 생각

이 글은 무엇에 대해 설명하는 글인가요?

① 번개는 얼마나 자주 치는가?

② 비행기는 어떻게 개발되었는가?

③ 비행기는 왜 번개에 안전한가?

2 세부 내용

글의 내용과 맞는 것에는 ○표, 틀린 것에는 ×표 하세요.

(a) 번개는 비행기의 앞부분으로 들어간다. ________

(b) 알루미늄은 번개를 흡수해서 안전하게 가둔다. ________

3 세부 내용

밑줄 친 ⓐ~ⓒ 중 가리키는 것이 다른 것을 고르세요.

① ⓐ ② ⓑ ③ ⓒ

4 빈칸 추론

글의 빈칸 (A)에 들어갈 말로 가장 알맞은 것을 고르세요.

① safe ② loud ③ lucky

5 중심 생각

글에 등장하는 단어로 빈칸을 채워 보세요.

When lightning ____ⓐ____ an airplane, ____ⓑ____ happens inside the plane.

ⓐ : ____________ ⓑ : ____________

STEP 2

Build Up 빈칸에 알맞은 단어를 <보기>에서 찾아 쓰세요.

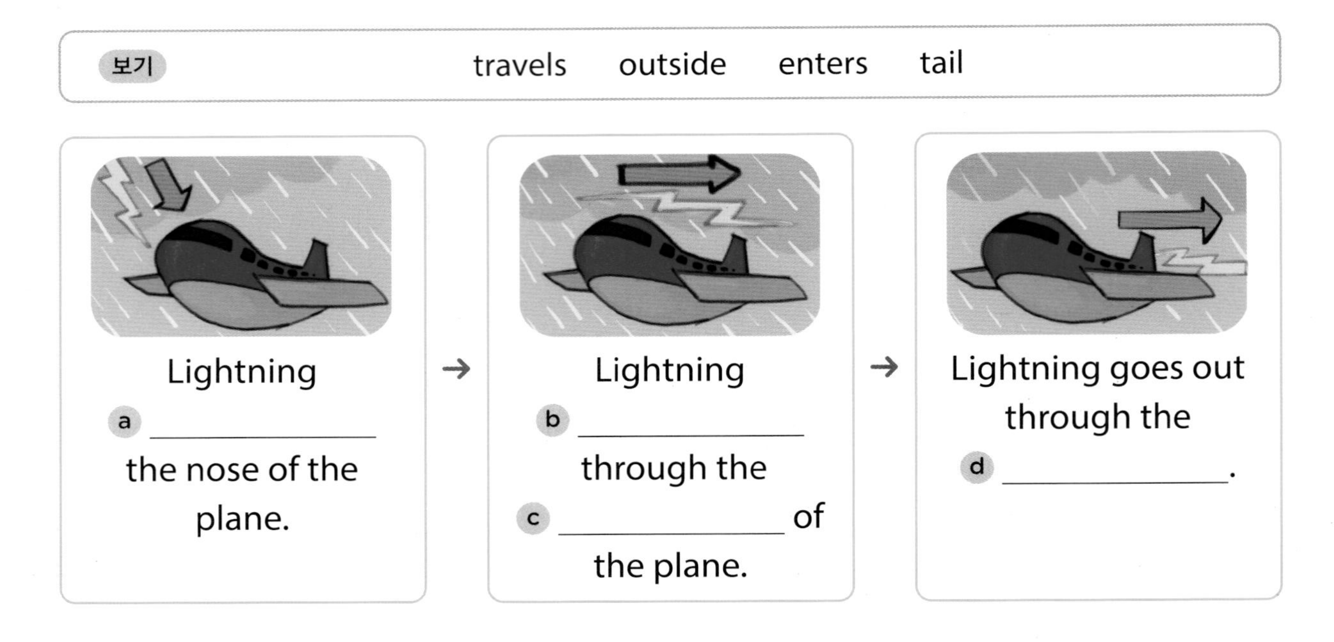

보기 travels outside enters tail

Lightning ⓐ ____________ the nose of the plane. → Lightning ⓑ ____________ through the ⓒ ____________ of the plane. → Lightning goes out through the ⓓ ____________.

STEP 3

Sum Up 빈칸에 알맞은 단어를 <보기>에서 찾아 쓰세요.

보기 worry sends hits protects make

When lightning ⓐ ____________ an airplane, nothing happens inside it. Why are you safe in the plane? People ⓑ ____________ airplanes with aluminum. The aluminum ⓒ ____________ lightning into the air. It also ⓓ ____________ the engine and fuel tank. So, don't ⓔ ____________ when lightning hits an airplane.

Look Up

A 아래 그림에 알맞은 단어를 고르세요.

❶ 

- ☐ enter
- ☐ worry

❷ 

- ☐ hit
- ☐ travel

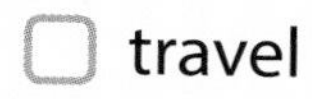

❸ 

- ☐ safe
- ☐ afraid

B 주어진 단어의 알맞은 우리말 뜻을 찾아 연결하세요.

❶ happen •	• 보호하다
❷ worry •	• 아무것도 ~아니다
❸ protect •	• 걱정하다
❹ nothing •	• 발생하다

C 우리말 해석에 맞도록 <보기>에서 알맞은 단어를 골라 빈칸에 쓰세요.

보기	enter safe send

❶ 내가 너에게 문자를 보낼 게.

→ I will ______ a text message to you.

❷ 안전한 곳에 네 가방을 두어라.

→ Put your bag in a ______ place.

❸ 방으로 들어갈 때 모자를 벗어 주세요.

→ Take off your hat when you ______ the room.

Dessert

사과 파이는 파이 반죽에 사과를 넣어서 구운 디저트 중 하나예요. 가끔씩 위에 생크림이나 아이스크림을 얹어 즐기기도 합니다.

01 Grandmother's Secret

write (- wrote)	동 (글을) 쓰다 *write back 답장을 쓰다
letter	명 편지
bake (- baked)	동 1 빵[과자]을 만들다 2 굽다
early	부 일찍
fresh	형 신선한, 싱싱한 *the freshest 가장 신선한
mix (- mixed)	동 섞다, 혼합하다

HISTORY

옛날에는 단맛을 내기 위해 사탕수수액을 사용했어요. 점차 그것을 설탕 알갱이로 만드는 기술이 발전했지요. 이 설탕은 디저트 역사에 많은 영향을 끼쳤답니다.

02 Sweet Food

kind	명 종류, 유형 *kind of ~의 종류
change	명 변화
expensive	형 값비싼, 비용이 많이 드는
price	명 값, 가격
dish	명 1 (접시에 담은) 요리, 음식 2 접시
enjoy (- enjoyed)	동 즐기다

오래 전에 사람들은 어떻게 디저트를 만들었을까요? 오늘날의 디저트 만드는 방법과 달라도, 맛있는 디저트를 만들고 싶은 마음은 같았을 거예요.

03 A Delicious Dessert!

buy (- bought)	동 사다, 구매하다
supermarket	명 슈퍼마켓
wash (- washed)	동 씻다
stir (- stirred)	동 휘젓다, 뒤섞다
branch	명 나뭇가지
result	명 결과

오늘날 디저트의 모습은 과거와 얼마나 비슷할까요? 예전에는 모든 사람들이 디저트를 즐길 수는 없었고, 재료들도 다양하지 않아서 지금의 모습과 매우 달랐어요.

04 Sweet Almond Cookies

soft	형 부드러운
guest	명 손님
popular	형 인기 있는
put (- put)	동 (장소, 위치에) 놓다, 두다
between	전 (위치가) ~ 사이에
colorful	형 다채로운, 형형색색의

Grandmother's Secret

Jenny **writes** a **letter** to her grandmother. Jenny wants to **bake** like her grandmother. Her grandmother's apple pie is the best. And Jenny's grandmother **writes** Jenny **back**.

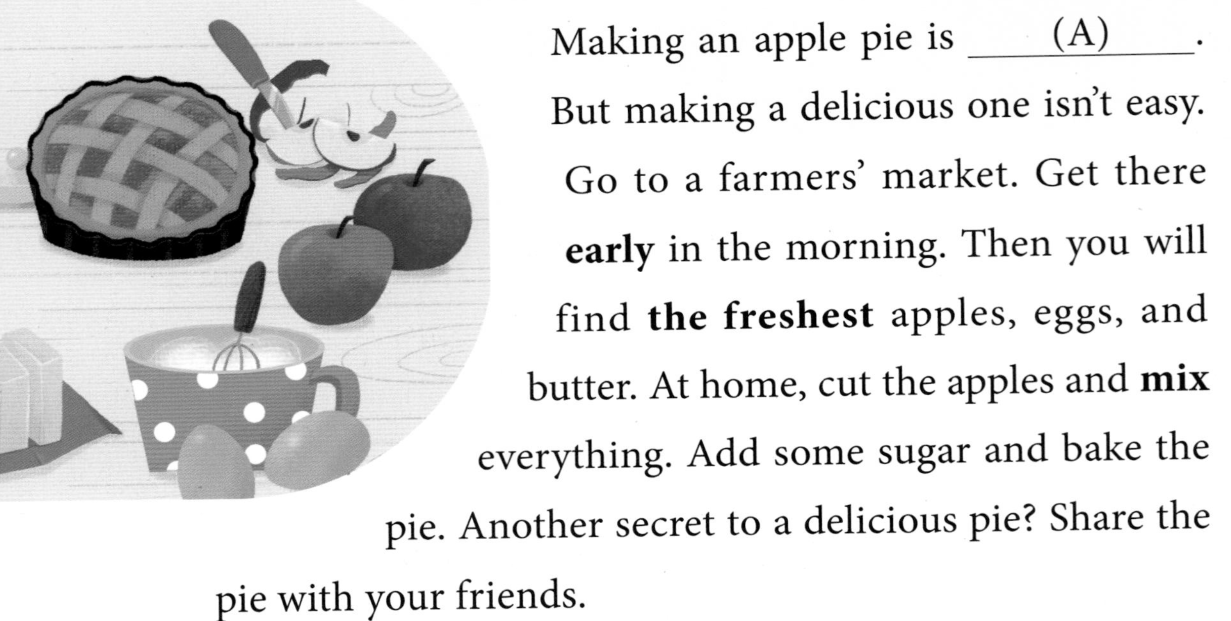

Dear Jenny,

Making an apple pie is 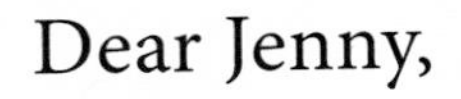 (A) ________. But making a delicious one isn't easy. Go to a farmers' market. Get there **early** in the morning. Then you will find **the freshest** apples, eggs, and butter. At home, cut the apples and **mix** everything. Add some sugar and bake the pie. Another secret to a delicious pie? Share the pie with your friends.

Warm wishes,

Grandma

●● 주요 단어와 표현

secret 비결, 비법　the best 최고인, 가장 좋은　Dear ~에게　delicious 맛있는　farmers' market 농산물 직거래 시장　get (장소에) 도착하다　then 그러면; 그러고 나서　butter 버터　add 더하다, 추가하다　sugar 설탕　another 또 하나의　share A with B A를 B와 함께 나누다　warm wishes 행운을 빌며 (편지를 끝맺는 말)

Check Up

정답과 해설 p.31

1 할머니가 쓴 글의 유형으로 가장 알맞은 것을 고르세요.

중심 생각

① 일기 ② 편지 ③ 조리법

2 Jenny가 할머니에게 편지를 쓴 목적은 무엇인가요?

중심 생각

① 자신의 안부를 전하기 위해서
② 할머니의 조리법을 알기 위해서
③ 할머니를 파티에 초대하기 위해서

3 할머니의 비결에 대해 글의 내용과 맞는 것에는 ○표, 틀린 것에는 ×표 하세요.

세부 내용

(a) 농산물 직거래 시장에서 가장 신선한 재료를 구해야 한다. ______
(b) 파이를 굽기 전에 설탕을 더해야 한다. ______

4 글의 빈칸 (A)에 들어갈 말로 가장 알맞은 것을 고르세요.

빈칸 추론

① easy ② fresh ③ the best

5 글에 등장하는 단어로 빈칸을 채워 보세요.

세부 내용

Jenny's grandmother's apple pie is the ___ⓐ___. So Jenny wants to ___ⓑ___ like her grandma.

ⓐ : ______ ⓑ : ______

STEP 2 Build Up

그림에 알맞은 문장을 연결하고, 할머니의 사과 파이 조리법 순서에 맞게 빈칸에 번호를 쓰세요.

❶ 

❷ 

❸ 

❹ 

(A) Add some sugar and bake the pie.

(B) Go to a farmers' market early in the morning.

(C) Share the pie with your friends.

(D) Cut the apples and mix everything.

STEP 3 Sum Up

빈칸에 알맞은 단어를 <보기>에서 찾아 쓰세요.

보기	delicious	fresh	friends	secret

Jenny wants to bake like her grandmother. She writes a letter to her. Her grandmother writes her back. Her letter tells the ⓐ ________ of her ⓑ ________ apple pie. First, use ⓒ ________ apples from a farmers' market. Second, share the pie with ⓓ ________.

Look Up

A 아래 그림에 알맞은 단어를 고르세요.

❶ 

- ☐ letter
- ☐ market

❷ 

- ☐ write
- ☐ bake

❸ 

- ☐ mix
- ☐ add

B 주어진 단어의 알맞은 우리말 뜻을 찾아 연결하세요.

❶ another •	• (장소에) 도착하다
❷ fresh •	• 일찍
❸ early •	• 또 하나의
❹ get •	• 신선한

C 우리말 해석에 맞도록 <보기>에서 알맞은 단어를 골라 빈칸에 쓰세요.

보기	bake write letter

❶ 나는 여가 시간에 빵을 만드는 것을 좋아한다.

→ I like to ______ in my free time.

❷ 나는 내 책상 위에서 편지를 발견했다.

→ I found a ______ on my desk.

❸ 나는 우리의 이야기를 쓸 것이다.

→ I will ______ our story.

Sweet Food

There are many **kinds of** desserts today. But dessert in the old days was different from today's dessert. At first, it was fruit and nuts with honey. In the Middle Ages, *custard was the first dessert. Then sugar came along, and there were many **changes**.

Sugar was **expensive**. Only rich people could have sweet food. ______(A)______ later the **price** of sugar went down. People started to use it in every **dish**. They also made many dessert cookbooks. More people could **enjoy** sweet food like cake and puddings.

*custard 커스터드 ((우유와 계란, 밀가루로 구운 과자))

●● 주요 단어와 표현

sweet 달콤한 today 오늘날에; 오늘날 in the old days 옛날에는 at first 처음에 first 최초의 nut 견과 honey 꿀 the Middle Ages 중세 시대 come along(- came along) 나타나다, 생기다 rich 부유한 go down(- went down) (가격 등이) 내려가다 every 모든 cookbook 요리책 pudding 푸딩

Check Up

정답과 해설 p.33

1 **이 글은 무엇에 대해 설명하는 내용인가요?**

중심 생각

① 설탕의 여러 쓰임 ② 오늘날의 디저트 종류 ③ 디저트의 변화 과정

2 **중세 시대에 처음 나온 디저트는 무엇인가요?**

세부 내용

① cake ② pudding ③ custard

3 **글의 내용과 맞는 것에는 ○표, 틀린 것에는 ×표 하세요.**

세부 내용

(a) 설탕이 등장하기 전의 디저트는 꿀로 덮인 과일과 견과류였다. ________

(b) 처음에는 설탕이 비싸서 부자들만 달콤한 음식을 먹었다. ________

4 **글의 빈칸 (A)에 들어갈 말로 가장 알맞은 것을 고르세요.**

빈칸 추론

① So ② But ③ And

5 **글에 등장하는 단어로 빈칸을 채워 보세요.**

중심 생각

Dessert in the ___ⓐ___ days was ___ⓑ___ from today's dessert.

ⓐ : __________ ⓑ : __________

STEP 2 Build Up 빈칸에 알맞은 단어를 <보기>에서 찾아 쓰세요.

보기 dish rich price sugar

Cause 원인		Effect 결과
ⓐ ______________ came along.	→	There were many changes to desserts.
Sugar was expensive.	→	Only ⓑ ______________ people could have sweet food.
The ⓒ ______________ of sugar went down.	→	People used sugar in every ⓓ ______________.

STEP 3 Sum Up 빈칸에 알맞은 단어를 <보기>에서 찾아 쓰세요.

보기 sweet enjoy honey changes expensive

At first, dessert was fruit and nuts with ⓐ ______________. Then sugar brought many ⓑ ______________ to desserts. But at first sugar was ⓒ ______________. Only some people could have ⓓ ______________ food. Later, sugar became cheaper. More people could ⓔ ______________ sweet cake and puddings.

Look Up

A 아래 그림에 알맞은 단어를 고르세요.

❶ 

- ☐ dish
- ☐ price

❷ 

- ☐ different
- ☐ expensive

❸ 

- ☐ enjoy
- ☐ make

B 주어진 단어의 알맞은 우리말 뜻을 찾아 연결하세요.

❶ rich •	• 종류
❷ nut •	• 부유한
❸ kind •	• 가격
❹ price •	• 견과

C 우리말 해석에 맞도록 <보기>에서 알맞은 단어를 골라 빈칸에 쓰세요.

보기	change enjoy expensive

❶ 우리는 디저트로 치즈케이크를 즐겨 먹어요.

→ We ______ cheesecake for dessert.

❷ 저 금시계는 비싸 보인다.

→ That gold watch looks ______.

❸ 우리 계획에 변화가 있어.

→ There is a ______ in our plans.

A Delicious Dessert!

Three hundred years ago, a girl picked blueberries.
Yesterday, a boy **bought** blueberries at a **supermarket**.
They both wanted to make a dessert.

The girl went to a well and **washed** the berries.
The boy washed the berries in the kitchen.

The girl **stirred** the cream with small **branches**.
The boy stirred the cream with a hand mixer.

The girl's mother crushed the berries with a cloth.
The boy's father crushed the berries with a blender.

They used different ways, ______(A)______ the **results** were the same. A delicious dessert!

●● 주요 단어와 표현

hundred 백, 100 pick(- picked) (과일 등을) 따다 blueberry 블루베리 *berry 베리((산딸기류 열매)) both 둘 다 well 우물 hand mixer 핸드믹서 crush(- crushed) (즙 등을) 짜다; 으깨다, 눌러 부수다 cloth 천, 옷감 blender 분쇄기 way 방식, 방법

Check Up

정답과 해설 p.36

1 중심 생각

이 글의 알맞은 제목을 고르세요.

① 달콤한 디저트의 비법

② 300년 전 디저트의 모습

③ 디저트 만들기의 과거와 현재

2 세부 내용

글의 내용과 맞는 것에는 O표, 틀린 것에는 X표 하세요.

(a) 여자아이는 부엌에서 블루베리를 씻었다. ______

(b) 남자아이는 천을 사용하여 블루베리를 으깼다. ______

3 세부 내용

여자아이가 디저트를 만들 때 사용하지 않은 것을 고르세요.

① 우물　　② 나뭇가지　　③ 분쇄기

4 빈칸 추론

글의 빈칸 (A)에 들어갈 말로 가장 알맞은 것을 고르세요.

① and　　② but　　③ or

5 중심 생각

글에 등장하는 단어로 빈칸을 채워 보세요.

The girl and the boy made ___ⓐ___ desserts in different ___ⓑ___.

ⓐ : ______　　ⓑ : ______

Build Up

글을 읽고, 빈칸에 <보기>의 단어를 채워 여자아이와 남자아이의 공통점과 차이점을 완성하세요.

보기 supermarket kitchen made picked branches

The girl

- ⓐ __________ blueberries.
- washed them at the well.
- used small ⓑ __________.

The girl and the boy

- ⓒ __________ a delicious dessert.

The boy

- bought blueberries at a ⓓ __________.
- washed them in the ⓔ __________.
- used a hand mixer.

Sum Up

빈칸에 알맞은 단어를 <보기>에서 찾아 쓰세요.

보기 crush cream cloth wash

Get blueberries.

↓

ⓐ __________ the berries at a well or in a kitchen.

↓

Stir the ⓑ __________ with small branches or a hand mixer.

↓

ⓒ __________ the berries with a ⓓ __________ or a blender.

Look Up

A 아래 그림에 알맞은 단어를 고르세요.

❶ 

☐ wash
☐ crush

❷ 

☐ berry
☐ branch

❸ 

☐ buy
☐ stir

B 주어진 단어의 알맞은 우리말 뜻을 찾아 연결하세요.

❶ way •	• (과일 등을) 따다
❷ crush •	• 결과
❸ result •	• 짜다; 으깨다
❹ pick •	• 방식

C 우리말 해석에 맞도록 <보기>에서 알맞은 단어를 골라 빈칸에 쓰세요.

보기	wash	supermarket	bought

❶ 그녀는 어제 새 코트를 샀다.

→ She ______________ a new coat yesterday.

❷ 집에 돌아오면 손을 씻어라.

→ ______________ your hands when you return home.

❸ 슈퍼마켓 안에 많은 신선한 과일이 있다.

→ There are many fresh fruits in the ______________.

Sweet Almond Cookies

This sweet dessert is crunchy on the outside and **soft** on the inside. Long ago, it was only for kings and their **guests**. But in 1792, two sisters started to bake almond cookies. These cookies became really **popular**. From then, more and more people enjoyed this dessert.

In the 1830s, some people started using two almond cookies as a sandwich. At first, bakers **put** jams and spices **between** the cookies. The almond cookies soon became **colorful**. They also had different fillings like buttercream and chocolate cream.

●● 주요 단어와 표현

almond 아몬드 crunchy 바삭한 outside(↔ inside) 바깥쪽(↔ 안쪽) sister 수녀 from then 그때부터 more and more 점점 더 많은 use A as B A를 B로 사용하다 sandwich 샌드위치 케이크((잼·크림을 사이에 끼운 케이크)) baker 제빵사 spice 향신료 soon 곧 filling (파이 등 음식의) 소, 속

Check Up

정답과 해설 p.38

1 중심 생각

글에서 설명하는 'This sweet dessert'의 그림으로 알맞은 것을 고르세요.

① 

② 

③ 

2 세부 내용

글의 내용과 맞는 것에는 O표, 틀린 것에는 X표 하세요.

(a) 오래 전에는 왕과 왕의 가족들만 '이 디저트'를 먹었다. ________

(b) 수녀들은 아몬드 쿠키 사이에 잼과 향신료를 넣었다. ________

3 세부 내용

글에서 설명하는 디저트의 특징이 아닌 것을 고르세요.

① crunchy ② small ③ colorful

4 세부 내용

글에 등장하는 단어로 빈칸을 채워 보세요.

Two sisters baked ___ⓐ___ cookies. The cookies became really ___ⓑ___.

ⓐ : ____________ ⓑ : ____________

Build Up 글을 읽고, 빈칸에 <보기>의 단어를 채워 '이 디저트'의 변화 과정을 완성하세요.

보기 | popular guests between baked

Long ago — The dessert was only for kings and their ⓐ ________.

1792 — Two sisters ⓑ ________ almond cookies, and these cookies became ⓒ ________.

1830s — People used two almond cookies as a sandwich. They put jams and spices ⓓ ________ the cookies.

Sum Up 빈칸에 알맞은 단어를 <보기>에서 찾아 쓰세요.

보기 | put cookie colorful inside

Many people love this dessert. It is crunchy on the outside but soft on the ⓐ ________. At first, this dessert looked different from now. It was an almond ⓑ ________. Then people ⓒ ________ jams and spices between two cookies. Soon, the cookies became ⓓ ________ and had different fillings like buttercream and chocolate cream.

Look Up

A 아래 그림에 알맞은 단어를 고르세요.

❶ 

☐ spice
☐ guest

❷ 

☐ colorful
☐ popular

❸ 

☐ soft
☐ crunchy

B 주어진 단어의 알맞은 우리말 뜻을 찾아 연결하세요.

❶ soon •	• 바깥쪽
❷ sister •	• 곧
❸ outside •	• 수녀
❹ put •	• 놓다

C 우리말 해석에 맞도록 <보기>에서 알맞은 단어를 골라 빈칸에 쓰세요.

보기	between guests popular

❶ 그는 친절해서 인기가 있어요.

→ He is ______ because he is kind.

❷ 음식은 준비되었니? 곧 손님들이 도착할 거야.

→ Is the food ready? The ______ will arrive soon.

❸ 그 공원은 학교와 병원 사이에 있다.

→ The park is ______ the school and the hospital.

Poison

HISTORY

오래 전 인간이 독을 처음 발견한 이후로 지금까지도 독은 여러 용도로 사용되고 있답니다.

01 Dangerous Poison

poison	명 독, 독약
poisonous	형 독이 있는
hunt (- hunted)	동 사냥하다
way	명 방법, 방식
enemy	명 적, 경쟁 상대
put on (- put on)	1 (얼굴·피부에) ~을 바르다 2 ~을 입다[신다/끼다]

MYTH

헤라클레스의 12가지 임무 중 하나는 히드라를 죽이는 것이에요. 하지만 히드라에게는 엄청난 비밀이 숨겨져 있답니다.

02 The Hydra

cut off (- cut off)	~을 자르다
instead	부 대신에
full	형 가득 찬 *full of ~로 가득 찬
smell (- smelled)	동 1 냄새 맡다 2 냄새가 나다
scared	형 무서워하는 *scared of ~을 무서워하는
collect (- collected)	동 모으다

VOCA

SCIENCE

03

The Power of Poison

독은 적은 양으로도 매우 위험할 수 있지만, 여러 과학자들이 새로운 치료법을 연구할 때 매우 유용하게 쓰인답니다.

dangerous	형 위험한
medicine	명 약
treat (- treated)	동 1 치료하다 2 대우하다, 다루다
useful	형 유용한, 도움이 되는
recently	부 최근에
serious	형 심각한

MYTH

04

Everybody Likes Foxgloves

디기탈리스는 종 모양의 꽃이에요. 라틴어로 '장갑의 손가락'이란 뜻을 가지고 있어, 영어로 'foxgloves'라 불리게 되었답니다.

heart	명 심장, 가슴
give (- gave)	동 주다
glove	명 장갑
touch (- touched)	동 만지다, 건드리다
somebody	대 누군가, 어떤 사람
pick (- picked)	동 1 (꽃을) 꺾다 2 고르다, 선택하다

Dangerous Poison

A long time ago, humans used nature's **poisons**. They used snake poisons when they **hunted** animals. Then they found more poisons. And they used them in other **ways**.

For many centuries, many kings used poisons, too. They ______(A)______ their **enemies** with them. Many kings were also killed by poisons.

Later, people started to use poisons in daily life. Some used **poisonous** plants for curing illnesses. Women also **put on** poisonous powder for makeup. The powder was dangerous. But they didn't know that.

●● 주요 단어와 표현

dangerous 위험한 human 사람, 인간 use(- used) 사용하다 nature 자연 find(- found) 발견하다 more 더 많은 other 다른 were[was] killed by ~로 인해 죽었다 also 또한 daily life 일상생활 some 몇몇 사람들 plant 식물 cure 치료하다; 치료법 illness 병, 아픔 powder 가루 makeup 화장(하기)

Check Up

정답과 해설 p.41

1 중심 생각

이 글에서 가장 중심이 되는 단어에 ○표 하세요.

humans　ways　poisons　snake　medicine

2 중심 생각

이 글은 무엇에 대해 설명하는 내용인가요?

① 독의 다양한 종류　② 독의 다양한 쓰임새　③ 독의 올바른 사용법

3 세부 내용

글의 내용과 맞는 것에는 ○표, 틀린 것에는 ×표 하세요.

(a) 사람들은 오래 전부터 자연의 독을 사용했다. ______

(b) 어떤 사람들은 독이 있는 식물을 병을 치료하기 위해 사용했다. ______

4 세부 내용

독을 사용한 목적으로 글에 없는 내용을 고르세요.

① 동물을 사냥하기 위해　② 왕을 살리기 위해　③ 화장하기 위해

5 빈칸 추론

글의 빈칸 (A)에 들어갈 말로 가장 알맞은 것을 고르세요.

① liked　② watched　③ killed

Build Up 주어진 글을 알맞게 연결하여 문장을 완성하세요.

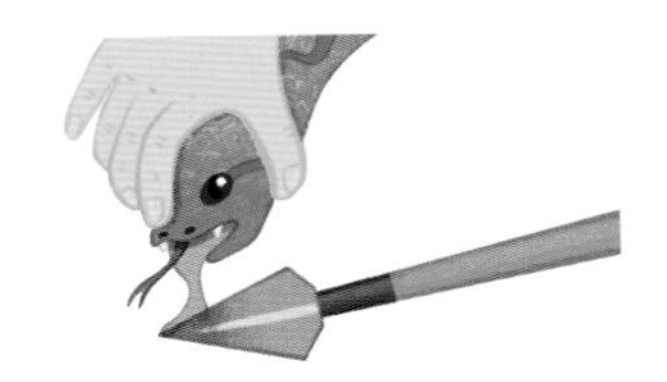

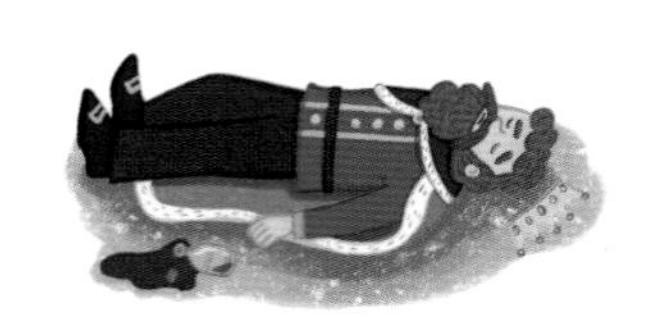

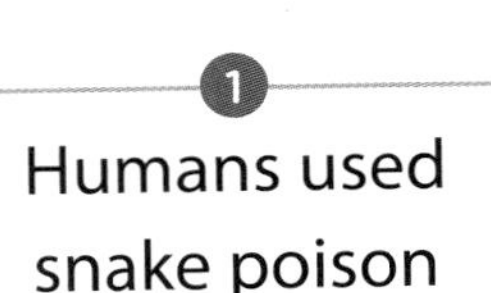

❶ Humans used snake poison

❷ Many kings were killed

❸ Some people used poisonous plants

(A) by poisons.

(B) for curing illnesses.

(C) when they hunted animals.

Sum Up 빈칸에 알맞은 단어를 <보기>에서 찾아 쓰세요.

보기 illnesses hunted enemies poisons

People used ⓐ ______ in many ways. First, they used snake poison when they ⓑ ______ animals. Second, many kings killed their ⓒ ______ with poisons. Third, people used poisonous plants for curing ⓓ ______ and poisonous powder for makeup.

Look Up

A 아래 그림에 알맞은 단어를 고르세요.

❶

☐ way
☐ poison

❷

☐ enemy
☐ king

❸

☐ hunt
☐ put on

B 주어진 단어의 알맞은 우리말 뜻을 찾아 연결하세요.

❶ plant •	• 독이 있는
❷ poisonous •	• 자연
❸ nature •	• 식물
❹ dangerous •	• 위험한

C 우리말 해석에 맞도록 <보기>에서 알맞은 단어를 골라 빈칸에 쓰세요.

보기	enemies hunt ways

❶ 고양이는 쥐의 적이다.

→ Cats are ______________ of mice.

❷ 문어는 밤에 사냥한다.

→ Octopuses ______________ at night.

❸ 로봇은 많은 방법으로 우리를 도울 수 있다.

→ Robots can help us in many ______________.

The Hydra

*Hercules had 12 missions. One of them was to kill **the Hydra. But it was not easy. The Hydra was a monster. It looked like a snake with many heads. When someone **cut off** one head, two heads grew **instead**. Also, the Hydra's blood was **full of** poison. The poison was very powerful. Even strong men died when they **smelled** it. Everyone was **scared of** the Hydra's poisonous blood.

Finally, Hercules and his nephew killed the Hydra. Then he **collected** ⓐ the monster's poisonous blood. He used it when he killed other monsters.

*Hercules 헤라클레스 ((그리스 신화에 등장하는 가장 힘이 센 영웅))
**the Hydra 히드라 ((그리스 신화 속 괴물))

●● 주요 단어와 표현

have(- had) 가지고 있다 mission 임무 kill(- killed) 죽이다 monster 괴물 look like(- looked like) ~처럼 보이다 with ~을 가진, ~이 달린 someone 누군가 grow(- grew) 자라다 blood 피 powerful 강력한 even ~조차, ~까지도 strong 강한 die(- died) 죽다 finally 결국, 마침내 nephew 조카

Check Up

정답과 해설 p.43

1 중심 생각

이 글의 알맞은 제목을 고르세요.

① 강력한 히드라의 독
② 헤라클레스와 조카의 모험
③ 헤라클레스와 히드라의 약속

2 세부 내용

글의 내용과 맞는 것에는 ○표, 틀린 것에는 ×표 하세요.

(a) 히드라의 머리를 자르면 더 많은 머리가 생겨났다. ______
(b) 헤라클레스는 혼자서 히드라를 죽였다. ______

3 세부 내용

히드라의 피에 대해 글의 내용과 틀린 것을 고르세요.

① 독성이 있다.
② 모든 사람들이 무서워했다.
③ 헤라클레스의 조카를 죽였다.

4 세부 내용

밑줄 친 ⓐ the monster가 무엇을 가리키는지 글에서 찾아 쓰세요. (2단어)

______

5 세부 내용

글에 등장하는 단어로 빈칸을 채워 보세요.

The Hydra ___ⓐ___ like a snake with many ___ⓑ___.

ⓐ : ______ ⓑ : ______

STEP 2

Build Up 아래 등장인물을 설명하는 내용에 알맞게 연결하세요.

❶ Hercules •

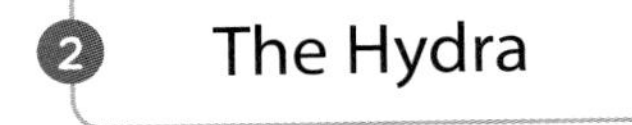

❷ The Hydra •

- • (A) was a monster.
- • (B) had 12 missions.
- • (C) killed strong men.
- • (D) collected poisonous blood.
- • (E) had poisonous blood.

STEP 3

Sum Up 이야기 순서에 맞게 빈칸에 번호를 쓰세요.

❶ 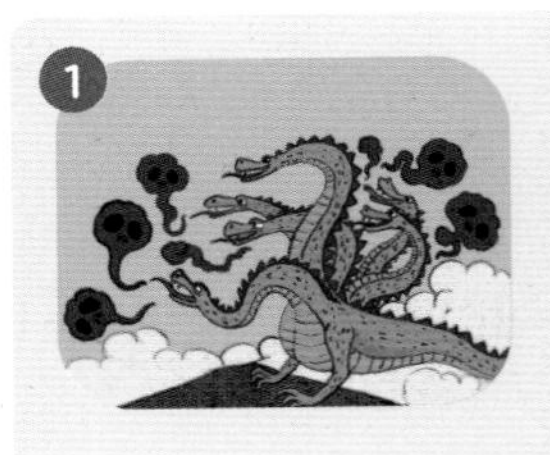

The monster looked like a snake with many heads. Also, its blood was full of poison.

❷ 

Hercules's mission was to kill the Hydra. The Hydra was a monster.

❸ 

Hercules used the Hydra's poisonous blood and killed other monsters.

❹ 

Hercules and his nephew killed the Hydra.

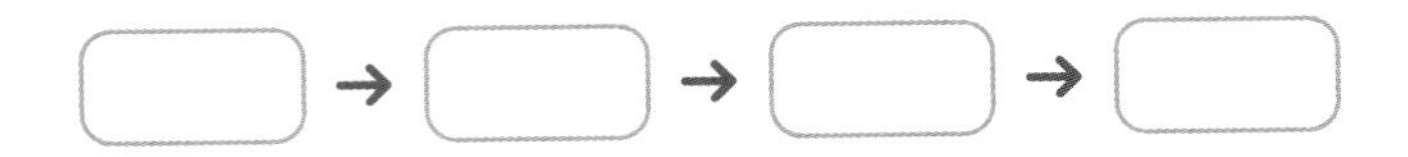

Look Up

A 아래 그림에 알맞은 단어를 고르세요.

❶

☐ scared
☐ strong

❷

☐ die
☐ smell

❸

☐ full
☐ powerful

B 주어진 단어의 알맞은 우리말 뜻을 찾아 연결하세요.

❶ instead •	• 모으다
❷ blood •	• 대신에
❸ cut off •	• 피
❹ collect •	• ~을 자르다

C 우리말 해석에 맞도록 <보기>에서 알맞은 단어를 골라 빈칸에 쓰세요.

보기 full smell scared

❶ 그는 아무 냄새도 맡을 수 없다.

→ He cannot ______ anything.

❷ Sally는 큰 개를 무서워한다.

→ Sally is ______ of big dogs.

❸ 그 상자는 책으로 가득 차있다.

→ The box is ______ of books.

The Power of Poison

Plants and animals make their own poisons. They protect themselves with them. These poisons are usually **dangerous**. But some are good for humans.

Scientists study nature's poisons and create new **medicines**. Wintergreen produces toxic *acid. This helps to **treat** fever and pain. The poison from cone snails is very powerful. Their poison can even kill people. But now it's a **useful** pain medicine.

Scientists still ____(A)____ other poisons. They want to find new cures. **Recently**, they found new hope from Australian funnel-web spiders. Their poison could treat **serious** diseases like cancer.

*acid 산 ((물에 녹아 산성을 나타내는 물질))

●● 주요 단어와 표현

own (자기) 자신의 protect 보호하다 usually 일반적으로, 보통 scientist 과학자 study 연구하다 create 만들어 내다 produce 만들어 내다 toxic 독이 있는 fever 열 pain 고통 *pain medicine 진통제 still 여전히, 아직도 hope 희망 disease 병 like ~처럼 cancer 암

Check Up

정답과 해설 p.45

1 중심 생각

이 글은 무엇에 대해 설명하는 내용인가요?

① 독의 위험성　② 약과 독의 차이　③ 약이 되는 자연의 독

2 세부 내용

글의 내용과 맞는 것에는 O표, 틀린 것에는 X표 하세요.

(a) cone snail의 독은 사람을 죽일 만큼 강력하지 않다. ________

(b) Australian funnel-web spider의 독은 암 치료의 새 희망이다. ________

3 세부 내용

wintergreen의 산으로 치료할 수 있는 증상이 아닌 것을 고르세요.

① 고열　② 통증　③ 가려움

4 빈칸 추론

글의 빈칸 (A)에 들어갈 말로 가장 알맞은 것을 고르세요.

① treat　② study　③ help

5 중심 생각

글에 등장하는 단어로 빈칸을 채워 보세요.

Some nature's ____ⓐ____ are good for humans and help to ____ⓑ____ fever and pain.

ⓐ : ____________　ⓑ : ____________

STEP 2 Build Up 아래 식물이나 동물을 설명하는 내용에 알맞게 연결하세요.

1. wintergreen
2. cone snail
3. Australian funnel-web spider

(A) Its poison could treat cancer.

(B) It produces acid.

(C) Its poison can even kill people.

(D) Its acid helps to treat fever and pain.

STEP 3 Sum Up 빈칸에 알맞은 단어를 <보기>에서 찾아 쓰세요.

보기 create poison find treat

Plants and animals protect themselves with their poisons. Some of them can ⓐ ______ diseases. The toxic acid from wintergreen treats fever. Scientists use the ⓑ ______ from cone snails and ⓒ ______ pain medicine. Also, they want to ⓓ ______ new cures for cancer from Australian funnel-web spiders.

Look Up

A 아래 그림에 알맞은 단어를 고르세요.

❶ 

☐ cure
☐ fever

❷ 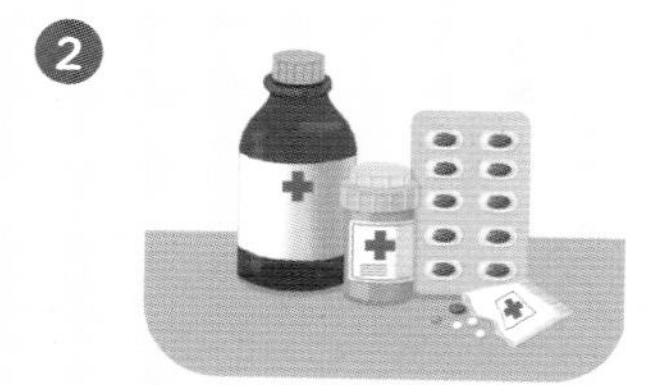

☐ medicine
☐ disease

❸ 

☐ toxic
☐ dangerous

B 주어진 단어의 알맞은 우리말 뜻을 찾아 연결하세요.

❶ recently •	• 만들어 내다
❷ serious •	• 최근에
❸ hope •	• 희망
❹ create •	• 심각한

C 우리말 해석에 맞도록 <보기>에서 알맞은 단어를 골라 빈칸에 쓰세요.

보기	useful	treat	dangerous

❶ 스카이다이빙은 위험한 스포츠이다.

→ Skydiving is a ______________ sport.

❷ 스마트폰은 유용하다.

→ Smartphones are ______________.

❸ 수의사는 아픈 동물들을 치료한다.

→ Animal doctors ______________ sick animals.

Everybody Likes Foxgloves

These flowers are called *foxgloves. They have dangerous poison, but it's useful in **heart** medicine. There are two stories about these flowers.

Long ago, bad fairies **gave** the flowers to a fox. The fox put the flowers on its paws and hunted hens. The hens didn't hear the fox because of the flower **gloves**.

In the other story, fairies like playing in the flowers. When they **touch** them, they leave white spots. But fairies get angry when **somebody** takes foxgloves inside. So don't **pick** one or take it inside. It'll bring bad luck.

*foxglove 디기탈리스

●● 주요 단어와 표현

are[is] called ~라고 불리다 fairy 요정 put on(- put on) ~을 입다[끼다] *put A on B B에 A를 입다[끼다] paw (동물의 발톱이 달린) 발 hen 암탉 hear 듣다 leave 남기다 spot 반점, 점 take 가져가다 inside 안으로 bring 가져오다 bad luck 불운

Check Up

정답과 해설 p.48

1 이 글은 무엇에 대해 설명하는 내용인가요?

중심 생각

① 디기탈리스의 전설 ② 디기탈리스의 역사 ③ 디기탈리스의 독 효능

2 글의 내용과 맞는 것에는 ○표, 틀린 것에는 ×표 하세요.

세부 내용

(a) 여우는 디기탈리스를 발에 끼우고 사냥했다. ________

(b) 디기탈리스를 꺾는 것은 행운을 가져온다. ________

3 디기탈리스에 하얀 반점이 있는 이유를 고르세요.

세부 내용

① 디기탈리스의 독 때문에

② 여우가 발로 꽃을 밟았기 때문에

③ 요정들이 자국을 남겼기 때문에

4 글에 등장하는 단어로 빈칸을 채워 보세요.

세부 내용

Foxgloves' poison is ____ⓐ____, but it's useful in ____ⓑ____ medicine.

ⓐ : ______________ ⓑ : ______________

STEP 2

Build Up 빈칸에 알맞은 단어를 <보기>에서 찾아 쓰세요.

보기	flowers	angry	hens	bad

The Fox

- got the flowers from ⓐ ____________ fairies.
- put the flowers on its paws.
- hunted ⓑ ____________.

Fairies

- like playing in the ⓒ ____________.
- leave white spots on the flowers.
- get ⓓ ____________ when somebody takes the flowers inside.

STEP 3

Sum Up 빈칸에 알맞은 단어를 <보기>에서 찾아 쓰세요.

보기	play	stories	luck	paws	hunted

People tell two ⓐ ____________ about foxgloves. One story is about a fox. A fox put the flowers on its ⓑ ____________. Then it ⓒ ____________ hens. The other story is about fairies. The fairies like to ⓓ ____________ in the flowers. Do not pick one or take it inside. When you do that, it will bring bad ⓔ ____________.

Look Up

A 아래 그림에 알맞은 단어를 고르세요.

❶

☐ touch
☐ leave

❷

☐ pick
☐ give

❸

☐ hear
☐ put on

B 주어진 단어의 알맞은 우리말 뜻을 찾아 연결하세요.

❶ fairy •	• 남기다
❷ heart •	• 장갑
❸ leave •	• 심장
❹ glove •	• 요정

C 우리말 해석에 맞도록 <보기>에서 알맞은 단어를 골라 빈칸에 쓰세요.

보기	gave	touch	somebody

❶ 이 그림들을 만지지 마세요.

→ Do not ______ these paintings.

❷ 나의 할머니께서 나에게 선물을 주셨다.

→ My grandmother ______ a present to me.

❸ 누군가가 내 책상 위에 편지를 남겼다.

→ ______ left a letter on my desk.

MEMO

MEMO

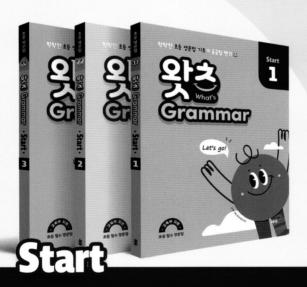

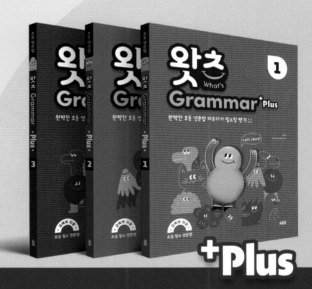

1 구문 판매 1위 '천일문' 콘텐츠를 활용하여 정확하고 다양한 구문 학습

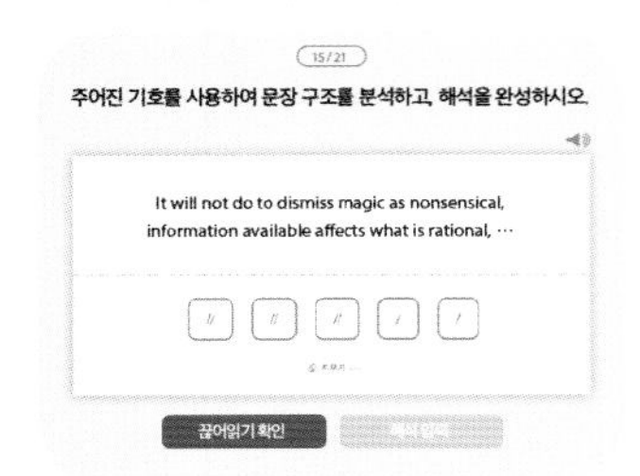

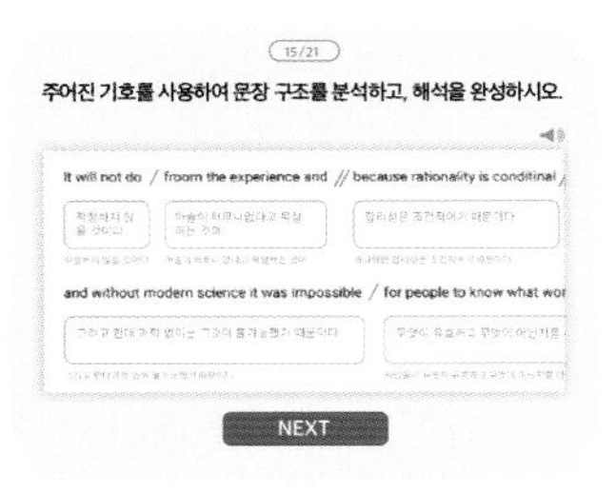

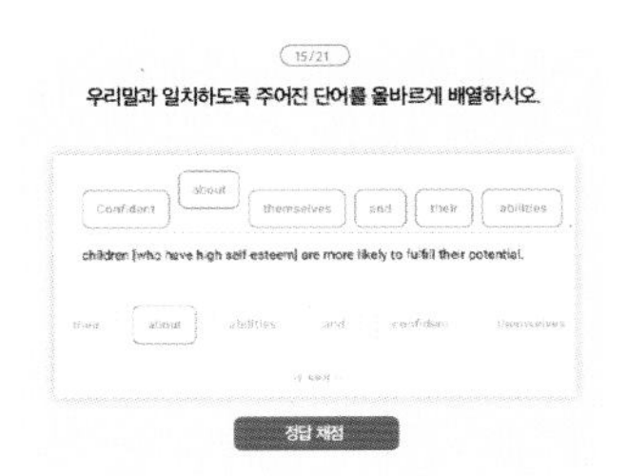

끊어읽기 | 해석하기 | 문장 구조 분석 | 해설·해석 제공 | 단어 스크램블링 | 영작하기

2 문법·서술형 쎄듀의 모든 문법 문항을 활용하여 내신까지 해결하는 정교한 문법 유형 제공

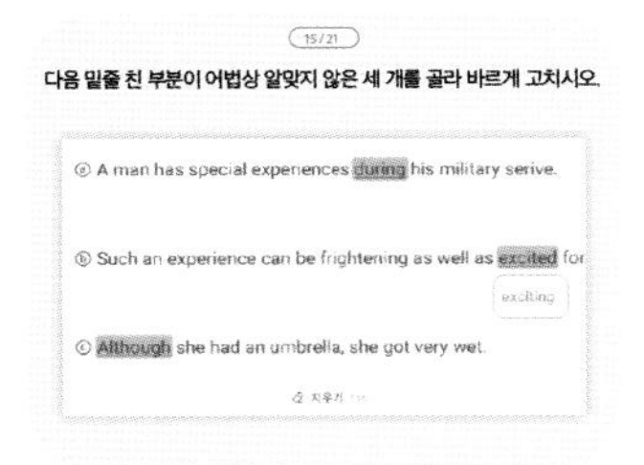

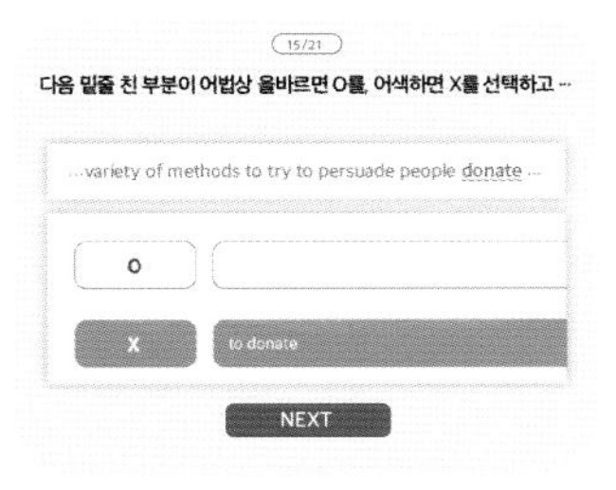

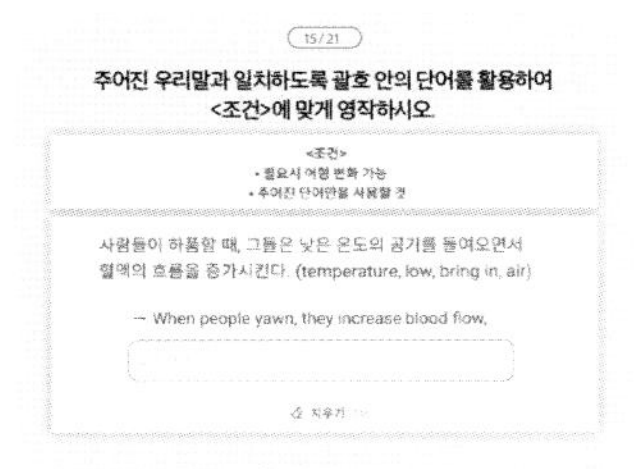

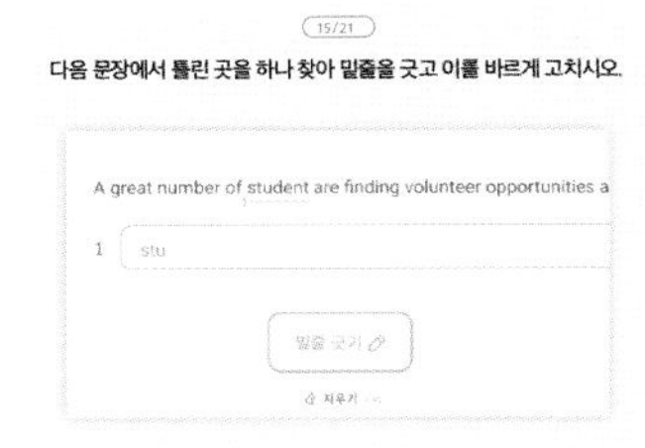

객관식과 주관식의 결합 | 문법 포인트별 학습 | 보기를 활용한 집합 문항 | 내신대비 서술형 | 어법+서술형 문제

3 어휘 초·중·고·공무원까지 방대한 어휘량을 제공하며 오프라인 TEST 인쇄도 가능

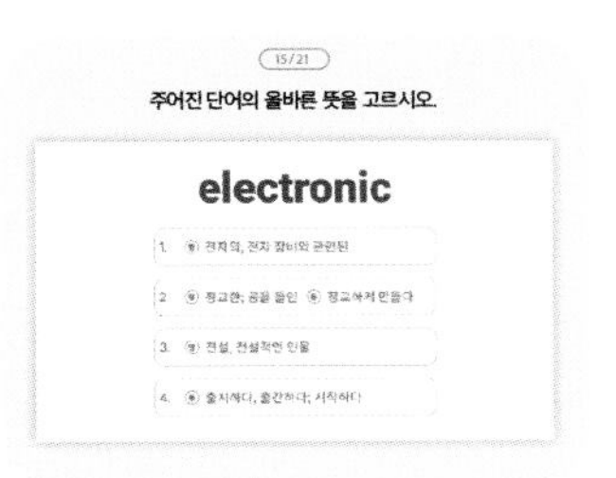

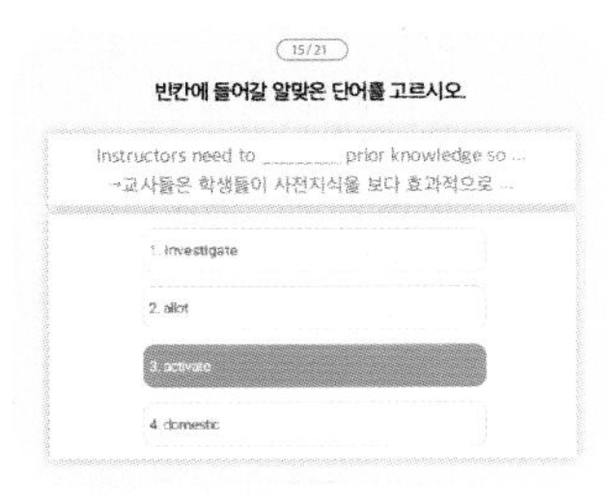

영단어 카드 학습 | 단어 ↔ 뜻 유형 | 예문 활용 유형 | 단어 매칭 게임

4 선생님 보유 문항 이용

Online Test | OMR Test

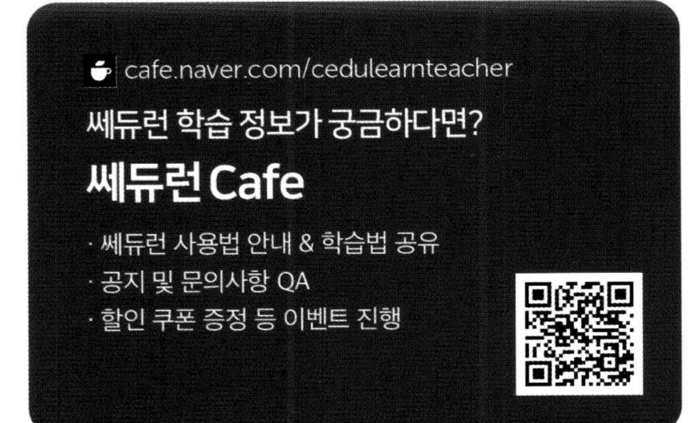

Words 80 A

왓츠 리딩

What's Reading

김기훈 | 쎄듀 영어교육연구센터

WORKBOOK

쎄듀

Words

80 A

WORKBOOK

정답과 해설 p.52

Friends Help

A 주어진 의미에 맞는 단어를 <보기>에서 골라 빈칸을 채우세요.

보기 new feel proud become piece another

동사 ~해지다, ~가 되다	Emily wants to ❶ ________ tall. Emily는 키가 커지고 싶다.
동사 ~한 기분이 들다	I ❷ ________ happy with my friends. 나는 친구들과 있으면 행복한 기분이 든다.
형용사 새로운	I got ❸ ________ glasses. 나는 새 안경을 구했다.
명사 조각, 부분	The cook cut a ❹ ________ of cheese. 요리사는 치즈 한 조각을 잘랐다.
형용사 또 하나의, 다른	Jenny ate ❺ ________ cookie. Jenny는 또 하나의 쿠키를 먹었다.
형용사 자랑스러운	She is ❻ ________ of her father. 그녀는 그녀의 아버지를 자랑스러워한다.

B 주어진 단어의 알맞은 우리말 뜻을 찾아 연결하세요.

❶ shorter •	• (몸 · 기분이) 나은
❷ around •	• 더 짧은
❸ better •	• ~의 주위에

C 아래 문장에서 주어에는 ○표, 동사에는 밑줄을 치세요.

보기 The cat felt better.

1. He wrapped it around her tail.
2. The coat became shorter.
3. A rabbit was proud of his new coat.
4. The rabbit cut out another piece of his coat.

D 주어진 우리말과 뜻이 같도록 문장을 완성해 보세요.

1. 그는 새 집을 만들었다 / 그 개구리를 위해.

→ ______________________________ / for the frog.

(made / a new home / he)

2. 그 코트는 새것이 아니었다 / 더 이상.

→ ______________________________ / any more.

(new / the coat / not / was)

3. 고양이는 슬펐다 // 그녀의 꼬리가 다쳤기 때문에.

→ The cat was sad // ______________________________.

(hurt / because / her tail / was)

4. 하지만 토끼는 더 행복해졌다.

→ ______________________________.

(felt / the rabbit / but / happier)

정답과 해설 p.52

Becoming Good Friends

A 주어진 의미에 맞는 단어를 <보기>에서 골라 빈칸을 채우세요.

보기 talk smile all listen special right

형용사 (틀리지 않고) 맞는	Her answer was ❶ ________. 그녀의 답은 맞았다.
동사 (귀 기울여) 듣다	Mike didn't ❷ ________ to his parents. Mike는 부모님의 말씀을 듣지 않았다.
형용사 특별한	Ted's bag is very ❸ ________. Ted의 가방은 매우 특별하다.
형용사 모든, 모두의	❹ ________ my flowers are dry. 모든 내 꽃들이 말랐다.
동사 (소리 내지 않고) 웃다, 미소 짓다	I try to ❺ ________ more. 나는 더 많이 웃으려고 노력한다.
동사 말하다, 이야기하다	I ❻ ________ to Sam about anything. 나는 무엇이든지 Sam에게 말한다.

B 주어진 단어의 알맞은 우리말 뜻을 찾아 연결하세요.

❶ together •   • 과거

❷ first •   • 먼저

❸ past •   • 함께

C 아래 문장에서 주어에는 ○표, 동사에는 밑줄을 치세요.

보기	(I) also <u>talked</u> to Red.

1. I didn't like myself, either.

2. You have every color inside you.

3. Learn to like yourself.

4. Now, all my friends like me.

D 주어진 우리말과 뜻이 같도록 문장을 완성해 보세요.

1. Green은 말했다, // "너는 좋은 친구가 되어야 해 / 먼저."

→ Green said, // "________________________ / first."

(a good friend / you / be / need to)

2. 너는 모든 색을 가지고 있어 / 네 안에.

→ ________________________ / inside you.

(every / you / color / have)

3. 모든 색들이 함께 있을 때, // 그들은 나를 만들어 낸다!

→ ________________________, // they make me!

(all / together / when / the colors / are)

4. 나는 좋은 친구가 되려고 노력했다 / 그리고 나 자신을 좋아하려고.

→ ________________________ / and like myself.

(tried to / be / a good friend / I)

정답과 해설 p.52

Happy Together

A 주어진 의미에 맞는 단어를 <보기>에서 골라 빈칸을 채우세요.

보기 health understand low happiness trouble protect

명사 어려움, 문제	I have some ❶ ______ with my bike. 내 자전거에 문제가 좀 있다.
동사 보호하다, 지키다	Seat belts ❷ ______ drivers. 안전벨트는 운전자를 보호한다.
명사 행복, 만족	She wished ❸ ______ for me. 그녀는 나를 위해 행복을 기원했다.
명사 (몸 · 마음의) 건강	Fast food is not good for your ❹ ______. 패스트푸드는 당신의 건강에 좋지 않다.
동사 이해하다, 알아듣다	Friends always ❺ ______ you. 친구는 언제나 당신을 이해해준다.
형용사 낮은	The number of students is very ❻ ______. 학생 수는 매우 낮다.

B 주어진 단어의 알맞은 우리말 뜻을 찾아 연결하세요.

❶ good for •	• ~에 좋은
❷ chance •	• 돕다
❸ help •	• 가능성

C 아래 문장에서 주어에는 ○표, 동사에는 밑줄을 치세요.

보기 So (we) feel happy.

1. This happiness protects our hearts.
2. Happy people have low chances of getting diseases.
3. Our brains make happy chemicals.
4. Friends are also good for your health, and many studies show it.

D 주어진 우리말과 뜻이 같도록 문장을 완성해 보세요.

1. 여러분은 좋은 친구들이 있는가 / 여러분 주변에?

→ ______________________________ / around you?

(good friends / you / do / have)

2. 친구들은 여러분을 도와준다 // 여러분이 어려움에 처했을 때.

→ Friends help you // ______________________________.

(in trouble / are / you / when)

3. 우리는 좋은 친구들이 필요하다 / 우리의 행복을 위해서.

→ ______________________________ / for our happiness.

(need / good / we / friends)

4. 우리는 더 오래 산다 / 친구들 때문에.

→ ____________________ / ____________________.

(longer / we / because of / friends / live)

정답과 해설 p.52

Ford and Edison

A 주어진 의미에 맞는 단어를 <보기>에서 골라 빈칸을 채우세요.

보기: advice / before / invent / begin / hero / next to

동사 시작되다, 시작하다	School will ❶ ______ in March. 학교는 3월에 시작할 것이다.
동사 발명하다	I want to ❷ ______ a new robot. 나는 새로운 로봇을 발명하고 싶다.
전치사 (시간상으로) ~ 전에	She arrived here ❸ ______ noon. 그녀는 정오 전에 여기에 도착했다.
명사 조언, 충고	I took my parents' ❹ ______. 나는 부모님의 조언을 받아들였다.
~ 바로 옆에	The salt is ❺ ______ the sugar. 소금은 설탕 바로 옆에 있다.
명사 영웅	My dad is my ❻ ______. 나의 아빠는 나의 영웅이다.

B 주어진 단어의 알맞은 우리말 뜻을 찾아 연결하세요.

❶ until •   • 간직하다

❷ keep •   • ~까지

❸ last •   • 마지막의

C 아래 문장에서 주어에는 ○표, 동사에는 밑줄을 치세요.

보기 They traveled together.

1. Edison gave advice on Ford's car.
2. Ford met Edison in 1896.
3. From then on, their friendship began.
4. Ford wanted to keep Edison's last breath.

D 주어진 우리말과 뜻이 같도록 문장을 완성해 보세요.

1. Ford는 자동차를 발명하기를 원했다 / 그리고 하나를 발명하기 시작했다.

→ Ford wanted to invent cars / ______________________.

(one / and / inventing / started)

2. Ford는 샀다 / Edison의 별장 바로 옆에 있는 별장을.

→ Ford bought / ______________________.

(next to / Edison's / a vacation home)

3. Edison의 아들은 Ford에게 그 시험관을 주었다.

→ ______________________.

(to Ford / the tube / Edison's son / gave)

4. Ford는 그것을 간직했다 / 그가 죽을 때까지.

→ ______________ / ______________.

(his death / Ford / it / kept / until)

정답과 해설 p.53

Olivia's Fashion

A 주어진 의미에 맞는 단어를 <보기>에서 골라 빈칸을 채우세요.

보기 look busy light anywhere ready perfect

부사 어디에서도	I can't find your shoes ❶ ________ . 나는 네 신발을 어디에서도 찾을 수 없다.
동사 1. ~해 보이다 2. 보다, 바라보다	You ❷ ________ tired. 너는 피곤해 보인다.
형용사 바쁜	I was too ❸ ________ . 나는 너무 바빴다.
형용사 (색깔이) 연한, 옅은	The girl has ❹ ________ blue eyes. 그녀는 옅은 파란색 눈을 가지고 있다.
형용사 완벽한	The house is ❺ ________ for our family. 그 집은 우리 가족에게 완벽하다.
형용사 준비가 된	Are you ❻ ________ for the test? 너는 시험 칠 준비가 되었니?

B 주어진 단어의 알맞은 우리말 뜻을 찾아 연결하세요.

❶ still • • 매 ~, ~마다

❷ look for • • ~을 찾다

❸ every • • 아직도

C 아래 문장에서 주어에는 O표, 동사에는 밑줄을 치세요.

보기 Olivia is busy every morning.

1. She wants to look good at school.
2. They were still in the washing machine.
3. The white pants are too light.
4. But she couldn't find them anywhere.

D 주어진 우리말과 뜻이 같도록 문장을 완성해 보세요.

1. Olivia는 옷을 갈아입는다 / 세 번.

   → ______________________________ / three times.

   (her clothes / changes / Olivia)

2. 어느 날 아침, 그녀는 파란색 셔츠를 입었다.

   → One morning, ______________________________.

   (put on / a blue shirt / she)

3. 그러고 나서 그녀는 그녀의 진한 청바지를 찾았다.

   → Then ______________________________.

   (her dark jeans / looked for / she)

4. 그 다음 그녀는 검은색 바지를 골랐다 / 그리고 그것을 입었다.

   → Then ______________________________ / and put them on.

   (black / picked / then / she / pants)

Special Clothing

A 주어진 의미에 맞는 단어를 <보기>에서 골라 빈칸을 채우세요.

보기	long	tight	clothing	mean	uniform	wear

동사 ~라는 의미이다	What does this sign ❶ ________ ? 이 표지판은 무슨 의미인가요?
동사 (옷 등을) 입고 있다	I don't want to ❷ ________ a skirt. 나는 치마를 입고 싶지 않아요.
형용사 1. (길이가) 긴 2. 길이가 ~인	The snake has a ❸ ________ tongue. 그 뱀은 긴 혀를 가지고 있다.
형용사 (옷 등이) 꽉 조이는, 딱 붙는	The new shoes are too ❹ ________ . 그 새 신발은 너무 꽉 조인다.
명사 제복, 군복	The man is in police ❺ ________ . 그 남자는 경찰복을 입고 있다.
명사 (특정한 종류의) 옷, 의복	This shop sells ❻ ________ for men. 이 가게는 남성을 위한 옷을 판다.

B 주어진 단어의 알맞은 우리말 뜻을 찾아 연결하세요.

❶ country • • ~와 같은

❷ like • • 보통

❸ usually • • 나라

C 아래 문장에서 주어에는 ○표, 동사에는 밑줄을 치세요.

보기 Hanbok is traditional Korean clothing.

1. Ao dai is women's clothing in Vietnam.
2. Women wear ao dais at special events like weddings.
3. Many other countries have traditional clothing, too.
4. For example, many women in India wear a sari.

D 주어진 우리말과 뜻이 같도록 문장을 완성해 보세요.

1. 어떤 여자아이들은 아오자이를 입는다 / 그들의 교복으로.

→ ______________________ / as their school uniform.

(ao dais / some girls / wear)

2. 어떤 사람들은 전통 의상을 입는다 / 매일.

→ ______________________ / every day.

(wear / clothing / some people / traditional)

3. 그것은 보통 4미터에서 8미터까지의 길이이다.

→ ______________________.

(long / usually / 4 to 8 meters / it's)

4. 여자들은 그것을 두른다 / 그들의 몸을 둘러싸며.

→ ______________________ / ______________________.

(it / their bodies / women / wrap / around)

Kate's Ao Dai

A 주어진 의미에 맞는 단어를 <보기>에서 골라 빈칸을 채우세요.

> 보기 stand up classmate dance festival everyone laugh at Welcome to ~.

명사 반 친구	I studied with my ❶ ______. 나는 내 반 친구와 함께 공부했다.
명사 축제	The music ❷ ______ was fun. 음악 축제는 재미있었다.
~을 비웃다, 놀리다	They will ❸ ______ my clothes. 그들은 내 옷을 비웃을 것이다.
일어서다	❹ ______ and introduce yourself. 일어서서 자신을 소개하세요.
동사 춤추다	I like to sing and ❺ ______. 나는 노래하고 춤추는 것을 좋아한다.
대명사 모든 사람, 모두	❻ ______ was happy about it. 모두가 그것에 대해 기뻐했다.
~에 오신 것을 환영합니다.	❼ ______ my party. 내 파티에 오신 것을 환영합니다.

B 주어진 단어의 알맞은 우리말 뜻을 찾아 연결하세요.

❶ finish • • 지난

❷ come in • • 끝내다

❸ last • • 들어오다

C 아래 문장에서 주어에는 ○표, 동사에는 밑줄을 치세요.

보기 My name is Kate.

1. She made this dress for me.
2. Last winter, I visited my grandmother in Vietnam.
3. Please introduce yourselves.
4. Kate started to dance.

D 주어진 우리말과 뜻이 같도록 문장을 완성해 보세요.

1. Kate의 반 친구들은 그녀를 비웃었다.

→ ______________________________.

(her / Kate's classmates / laughed at)

2. Kate가 일어서서 말했다, // "제 이름은 Kate입니다."

→ ______________________________, // "My name is Kate."

(said / Kate / stood up / and)

3. 많은 사람들이 춤추고 있었다 / 이렇게.

→ ______________________________ / like this.

(were / many / dancing / people)

4. 다른 모든 사람들은 박수를 치기 시작했다, / ~도.

→ ______________________________, / too.

(started / everyone else / to clap)

정답과 해설 p.54

Coco Chanel

A 주어진 의미에 맞는 단어를 <보기>에서 골라 빈칸을 채우세요.

보기	open	learn	simple	clothes	type	create

동사 배우다, 학습하다	We ❶ ______ many things at school. 우리는 학교에서 많은 것을 배운다.
동사 만들어 내다, 창작하다	The chefs ❷ ______ a new dish. 셰프들은 새로운 음식을 만들어 낸다.
형용사 간결한, 꾸밈없는	These black pants are ❸ ______ . 이 검정색 바지는 간결하다.
명사 유형, 종류	What ❹ ______ of dress do you like? 너는 무슨 종류의 드레스를 좋아하니?
명사 옷, 의복	I need new ❺ ______ for the trip. 나는 여행을 위한 새 옷이 필요하다.
동사 열다	What time does the bank ❻ ______ ? 은행은 몇 시에 문을 여나요?

B 주어진 단어의 알맞은 우리말 뜻을 찾아 연결하세요.

❶ nobody •	• 영원히
❷ forever •	• 아무도 ~않다
❸ stage •	• 무대

C 아래 문장에서 주어에는 ○표, 동사에는 밑줄을 치세요.

보기 But at night, she sang on stage.

1. Gabrielle Chanel learned to sew at 11.
2. She made money and opened a hat shop.
3. One day, she saw other women at a party.
4. Nobody used the color black in fashion then.

D 주어진 우리말과 뜻이 같도록 문장을 완성해 보세요.

1. Chanel은 바느질하기를 시작했다 / 돈을 위해.

→ ______________________________ / for money.

(to sew / Chanel / started)

2. 사람들은 그녀를 Coco라고 불렀다.

→ ______________________________.

(her / Coco / called / people)

3. 그녀는 간결한 옷을 만들기로 결심했다.

→ ______________________________.

(simple clothes / make / She / decided to)

4. 그녀의 옷은 여성복을 바꾸었다 / 영원히.

→ ______________________________ / forever.

(women's clothing / her / changed / clothes)

정답과 해설 p.54

Weather Change

A 주어진 의미에 맞는 단어를 <보기>에서 골라 빈칸을 채우세요.

보기: hear sound loud start after watch

동사 시작하다	Let's ❶ ______ the lesson. 수업을 시작합시다.
동사 듣다, 들리다	Did you ❷ ______ the news? 너는 그 소식을 들었니?
명사 소리	Your violin makes a nice ❸ ______. 당신의 바이올린은 좋은 소리를 만든다.
형용사 (소리가) 큰, 시끄러운	He spoke in a ❹ ______ voice. 그는 큰 목소리로 말했다.
동사 보다, 지켜보다	I like to ❺ ______ soccer on TV. 나는 TV로 축구 경기를 보는 것을 좋아한다.
전치사 (시간·때) ~ 후에	❻ ______ school, I go swimming. 방과 후에, 나는 수영하러 간다.

B 주어진 단어의 알맞은 우리말 뜻을 찾아 연결하세요.

❶ outside • • 폭풍우

❷ dark • • 밖에서; ~ 밖으로

❸ storm • • 어두운

C 아래 문장에서 주어에는 ○표, 동사에는 밑줄을 치세요.

보기 (They) <u>heard</u> a sound from the sky.

1. The thunder became louder.
2. The sky became dark with gray clouds.
3. After the game, they watched the sky.
4. Soon it started raining, with lightning and thunder.

D 주어진 우리말과 뜻이 같도록 문장을 완성해 보세요.

1. Anna와 Jack은 밖에서 놀고 있었다.

→ ______________________________.

(playing / Anna and Jack / outside / were)

2. Anna는 Jack을 집 안으로 데리고 갔다.

→ ______________________________.

(Jack / took / Anna / the house / inside)

3. Anna와 Jack은 보드게임을 하기로 결심했다.

→ Anna and Jack ______________________________.

(decided / a board game / to play)

4. 하늘은 번개로 하얗게 되었다 / 몇 분마다.

→ ______________________________ / every few minutes.

(with / the sky / white / lightning / became)

정답과 해설 p.54

Powerful Lightning

A 주어진 의미에 맞는 단어를 <보기>에서 골라 빈칸을 채우세요.

보기 test only about powerful control fly

동사 날다	The blue bird started to ❶ ______. 그 파랑새는 날기 시작했다.
동사 지배하다, 통제하다	The king and queen ❷ ______ their country. 왕과 여왕은 그들의 나라를 지배한다.
부사 오직 ~만	She ❸ ______ drinks tea. 그녀는 오직 차만 마신다.
형용사 강한, 강력한	This car has a ❹ ______ engine. 이 차는 강력한 엔진을 가지고 있다.
전치사 ~에 대한	Don't worry ❺ ______ school too much. 학교에 대해 너무 걱정하지 마.
명사 실험, 테스트	He is doing a ❻ ______ on electricity. 그는 전기에 대한 실험을 하고 있다.

B 주어진 단어의 알맞은 우리말 뜻을 찾아 연결하세요.

❶ hammer • • 만들어 내다

❷ create • • 망치

❸ tribe • • 부족

C 아래 문장에서 주어에는 ○표, 동사에는 밑줄을 치세요.

보기 In Viking stories, (Thor) <u>had</u> a hammer.

1. He controlled lightning and thunder with it.
2. People didn't know about lightning scientifically.
3. Benjamin Franklin did a test on lightning.
4. In Greek stories, Zeus got lightning from his uncles.

D 주어진 우리말과 뜻이 같도록 문장을 완성해 보세요.

1. 많은 이야기들이 있었다 / 번개에 대한.

→ ________________________________ / about lightning.

(stories / were / many / there)

2. 그는 신들의 왕이 되었다 / 그것 때문에.

→ ________________________________ / because of it.

(the king of the gods / he / became)

3. 또 다른 이야기에서는, / 번개는 새로부터 나왔다.

→ In another story, / ________________________________.

(from/ a bird / lightning / came)

4. 그러고 나서 새는 날아서 천둥을 만들어 냈다.

→ Then ________________________________.

(thunder / and / flew / the bird / created)

Dangerous Lightning

A 주어진 의미에 맞는 단어를 <보기>에서 골라 빈칸을 채우세요.

보기: fish near weather shock memory hurt

동사 낚시하다	You can't ❶ ______ in this river. 당신은 이 강에서 낚시할 수 없다.
명사 날씨	Today's ❷ ______ is sunny. 오늘 날씨는 화창하다.
명사 기억	I don't have any ❸ ______ of that day. 나는 그날의 기억이 아무것도 없어.
명사 충격	I felt a ❹ ______. 나는 충격을 느꼈다.
형용사 다친	The driver was ❺ ______ in the accident. 그 운전자는 교통사고에서 다쳤다.
전치사 ~의 근처에, ~에서 가까이	The bus stop is ❻ ______ the park. 버스 정류장은 그 공원 근처에 있다.

B 주어진 단어의 알맞은 우리말 뜻을 찾아 연결하세요.

❶ suddenly • • ~에서 살아남다

❷ strike • • (세게) 치다, 부딪치다

❸ survive • • 갑자기

C 아래 문장에서 주어에는 ○표, 동사에는 밑줄을 치세요.

보기 The weather was a little cloudy.

❶ He lost all memories of that day.

❷ Everyone felt lucky.

❸ Suddenly, it became cold.

❹ All of them survived the lightning strike!

D 주어진 우리말과 뜻이 같도록 문장을 완성해 보세요.

❶ 곧 비가 내리기 시작할 거야.

→ ______________________________ soon.

(start / it / raining / will)

❷ Brandon과 그의 친구들은 떠나던 중이었다.

→ ______________________________.

(were / Brandon / leaving / and his friends)

❸ 갑자기, 번개가 내리쳤다 / 그들 근처에 있는 한 나무에.

→ Suddenly, ______________ / ______________.

(them / struck / a tree / lightning / near)

❹ 다른 사람들 또한 다쳤다, // 하지만 그들은 괜찮았다.

→ ______________________________, // but they were okay.

(hurt / were also / others)

Airplanes and Lightning

A 주어진 의미에 맞는 단어를 <보기>에서 골라 빈칸을 채우세요.

보기 | hit safe nothing enter send afraid

대명사 아무것도 (~아니다, 없다)	There was ❶ ______ on the table. 탁자 위에 아무것도 없었다.
동사 부딪치다, 충돌하다	The truck ❷ ______ a tree. 트럭은 나무에 부딪쳤다.
동사 ~에 들어가다	❸ ______ the room, and you will find a window. 그 방으로 들어가라, 그러면 창문을 발견할 것이다.
동사 보내다	I will ❹ ______ an e-mail soon. 곧 이메일을 보낼게요.
형용사 안전한	Stay in a ❺ ______ place during a storm. 폭풍우가 치는 동안 안전한 곳에 머무르세요.
형용사 두려워하는, 겁내는	I am ❻ ______ of spiders. 나는 거미를 두려워한다.

B 주어진 단어의 알맞은 우리말 뜻을 찾아 연결하세요.

❶ happen •	• 발생하다
❷ protect •	• ~을 통해서, ~을 지나서
❸ through •	• 보호하다

C 아래 문장에서 주어에는 ○표, 동사에는 밑줄을 치세요.

보기 (It) happens every year.

1. Nothing happens inside the airplane.
2. But don't worry about it.
3. Today, people make airplanes with aluminum.
4. It also protects the engine and fuel tank.

D 주어진 우리말과 뜻이 같도록 문장을 완성해 보세요.

1. 당신은 왜 안전한가 / 비행기 안에서?

→ ______________________ / in the airplane?

(are / why / you / safe)

2. 번개는 비행기의 겉면을 통해 이동한다.

→ ______________________.

(travels / lightning / the outside of the plane / through)

3. 알루미늄은 번개를 공중으로 보낸다.

→ The aluminum ______________________.

(the air / sends / into / lightning)

4. 그러므로 두려워하지 마라 // 번개가 비행기에 내리칠 때.

→ So don't be afraid // ______________________.

(an airplane / lightning / when / hits)

Grandmother's Secret

A 주어진 의미에 맞는 단어를 <보기>에서 골라 빈칸을 채우세요.

보기 fresh early letter write bake mix

동사 (글을) 쓰다	I ❶ ______ my ideas in a notebook. 나는 내 생각들을 공책에 쓴다.
동사 1. 빵[과자]을 만들다 2. 굽다	My sister likes to ❷ ______. 내 언니는 빵을 만드는 것을 좋아한다.
형용사 신선한, 싱싱한	This milk is not ❸ ______. 이 우유는 신선하지 않다.
명사 편지	I sent a ❹ ______ to my father yesterday. 나는 어제 아버지께 편지를 보냈다.
동사 섞다, 혼합하다	❺ ______ blue and yellow. You'll get green. 파란색과 노란색을 섞어 봐. 초록색이 나올 거야.
부사 일찍	We met ❻ ______ in the morning. 우리는 아침 일찍 만났다.

B 주어진 단어의 알맞은 우리말 뜻을 찾아 연결하세요.

❶ secret • • 더하다, 추가하다

❷ add • • 맛있는

❸ delicious • • 비결, 비법

C 아래 문장에서 주어에는 ○표, 동사에는 밑줄을 치세요.

보기 Jenny writes a letter to her grandmother.

1. Jenny's grandmother writes Jenny back.
2. Her grandmother's apple pie is the best.
3. Then you will find the freshest apples, eggs, and butter.
4. At home, cut the apples and mix everything.

D 주어진 우리말과 뜻이 같도록 문장을 완성해 보세요.

1. Jenny는 파이를 만들고 싶다 / 그녀의 할머니처럼.

→ ______________________ / like her grandmother.

(Jenny / bake / wants / to)

2. 하지만 맛있는 사과 파이를 만드는 것은 쉽지 않다.

→ But ______________________.

(a delicious apple pie / easy / isn't / making)

3. 설탕을 조금 더해라 // 그리고 파이를 구워라.

→ ______________________ // ______________________.

(some sugar / add / the pie / and / bake)

4. 그 파이를 네 친구들과 나눠라.

→ ______________________.

(your friends / the pie / share / with)

Sweet Food

정답과 해설 p.56

A 주어진 의미에 맞는 단어를 <보기>에서 골라 빈칸을 채우세요.

보기 change kind price expensive dish enjoy

명사 값, 가격	The ❶ ______ of this shirt is too high. 이 셔츠의 가격은 너무 높다.
형용사 값비싼, 비용이 많이 드는	The man has an ❷ ______ car. 그 남자는 비싼 차를 가지고 있다.
명사 종류, 유형	What ❸ ______ of music do you like? 너는 어떤 종류의 음악을 좋아하니?
명사 변화	I made a ❹ ______ in my diet. 나는 내 식단에 변화를 주었다.
명사 1. (접시에 담은) 요리, 음식 2. 접시	The main ❺ ______ is steak with salad. 주요리는 샐러드를 곁들인 스테이크입니다.
동사 즐기다	Did you ❻ ______ your vacation? 여러분은 휴가를 즐겼나요?

B 주어진 단어의 알맞은 우리말 뜻을 찾아 연결하세요.

❶ today • • 꿀

❷ go down • • 오늘날에; 오늘날

❸ honey • • (가격 등이) 내려가다

C 아래 문장에서 주어에는 ○표, 동사에는 밑줄을 치세요.

보기 Sugar was expensive.

1. They also made many dessert cookbooks.
2. It was fruit and nuts with honey.
3. In the Middle Ages, custard was the first dessert.
4. But dessert in the old days was different from today's dessert.

D 주어진 우리말과 뜻이 같도록 문장을 완성해 보세요.

1. 많은 종류의 디저트가 있다 / 오늘날에.

→ ______________________________ / today.

(desserts / many / kinds of / there are)

2. 오직 부유한 사람들만 달콤한 음식을 먹을 수 있었다.

→ ______________________________.

(have / only rich people / could / sweet food)

3. 그러나 나중에 / 설탕의 가격이 내려갔다.

→ But later / ______________________________.

(down / the price of sugar / went)

4. 사람들은 설탕을 사용하기 시작했다 / 모든 요리에.

→ ______________________________ / in every dish.

(sugar / started / people / to use)

A Delicious Dessert!

A 주어진 의미에 맞는 단어를 <보기>에서 골라 빈칸을 채우세요.

보기 supermarket wash buy result stir branch

동사 씻다	Can you ❶ ______ the apples? 사과들 좀 씻어 줄래?
동사 사다, 구매하다	I want to ❷ ______ a gift for her. 나는 그녀를 위한 선물을 사고 싶다.
명사 결과	I was surprised by the ❸ ______ of the game. 나는 경기 결과 때문에 놀랐다.
명사 나뭇가지	The bird's sitting on the ❹ ______ . 새가 나뭇가지 위에 앉아 있다.
명사 슈퍼마켓	Let's get some food at the ❺ ______ . 슈퍼마켓에서 음식을 좀 사자.
동사 휘젓다, 뒤섞다	❻ ______ your milk with a spoon. 수저로 우유를 휘저어라.

B 주어진 단어의 알맞은 우리말 뜻을 찾아 연결하세요.

❶ both • • 백, 100

❷ hundred • • 둘 다

❸ cloth • • 천, 옷감

C 아래 문장에서 주어에는 ○표, 동사에는 밑줄을 치세요.

보기 They both wanted to make a dessert.

1. The boy stirred the cream with a hand mixer.
2. The girl went to a well and washed the berries.
3. The boy's father crushed the berries with a blender.
4. They used different ways, but the results were the same.

D 주어진 우리말과 뜻이 같도록 문장을 완성해 보세요.

1. 어제, / 한 남자아이가 블루베리를 샀다.

→ Yesterday, / ______________________________.

(blueberries / bought / a boy)

2. 그 남자아이는 그 블루베리를 씻었다 / 부엌에서.

→ ______________________________ / in the kitchen.

(the berries / the boy / washed)

3. 그 여자아이는 크림을 작은 나뭇가지들로 휘저었다.

→ The girl ______________________________.

(the cream / with / stirred / small branches)

4. 그 여자아이의 어머니는 천으로 블루베리를 짰다.

→ ______________________________.

(a cloth / crushed / the girl's mother / the berries / with)

Sweet Almond Cookies

A 주어진 의미에 맞는 단어를 <보기>에서 골라 빈칸을 채우세요.

보기	soft	popular	put	guest	between	colorful

의미	문장
전치사 (위치가) ~ 사이에	Bob sat ❶ ______ Jane and Tom. Bob은 Jane과 Tom 사이에 앉았다.
형용사 다채로운, 형형색색의	There are many ❷ ______ fish in the ocean. 바다에는 형형색색의 물고기가 있다.
형용사 부드러운	A baby has ❸ ______ skin. 아기는 부드러운 피부를 가지고 있다.
형용사 인기 있는	Kate is ❹ ______ at school. Kate는 학교에서 인기가 있다.
명사 손님	The ❻ ______ will arrive soon. 그 손님은 곧 도착할 것이다.
동사 (장소, 위치에) 놓다, 두다	I ❻ ______ the money in my pocket. 나는 돈을 내 주머니 안에 두었다.

B 주어진 단어의 알맞은 우리말 뜻을 찾아 연결하세요.

❶ crunchy •	• (파이 등 음식의) 소, 속
❷ baker •	• 제빵사
❸ filling •	• 바삭한

C 아래 문장에서 주어에는 ○표, 동사에는 밑줄을 치세요.

보기 These cookies became really popular.

❶ Long ago, it was only for kings and their guests.

❷ But in 1792, two sisters started to bake almond cookies.

❸ From then, more and more people enjoyed this dessert.

❹ The almond cookies soon became colorful.

D 주어진 우리말과 뜻이 같도록 문장을 완성해 보세요.

❶ 이 달콤한 디저트는 바삭하다 / 바깥쪽이.

→ ______________________________ / on the outside.

(crunchy / this / is / sweet dessert)

❷ 몇몇 사람들은 시작했다 / 두 개의 아몬드 쿠키를 사용하기를.

→ ____________________ / ____________________.

(started / almond cookies / using / some people / two)

❸ 제빵사들은 잼과 향신료를 넣었다 / 쿠키 사이에.

→ ______________________________ / between the cookies.

(put / spices / jams / bakers / and)

❹ 그것들은 다양한 속을 가졌다 / 버터크림과 같은.

→ ______________________________ / like buttercream.

(had / fillings / they / different)

정답과 해설 p.57

Dangerous Poison

A 주어진 의미에 맞는 단어를 <보기>에서 골라 빈칸을 채우세요.

보기: poison / way / hunt / poisonous / enemy / put on

명사 적, 경쟁 상대	Jack was my ❶ ______ before. Jack는 전에 나의 적이었다.
동사 사냥하다	They ❷ ______ deer with guns. 그들은 총으로 사슴을 사냥한다.
명사 독, 독약	❸ ______ can kill people. 독은 사람을 죽일 수 있다.
명사 방법, 방식	Mom cooks fish in a special ❹ ______. 엄마는 특별한 방법으로 생선을 요리하신다.
1. (얼굴 · 피부에) ~을 바르다 2. ~을 입다[신다/끼다]	What do you ❺ ______ for makeup? 너는 화장하기 위해 무엇을 바르니?
형용사 독이 있는	Some mushrooms are ❻ ______. 일부 버섯은 독이 있다.

B 주어진 단어의 알맞은 우리말 뜻을 찾아 연결하세요.

❶ cure •	• 사람, 인간
❷ human •	• 발견하다
❸ find •	• 치료하다; 치료법

C 아래 문장에서 주어에는 ○표, 동사에는 밑줄을 치세요.

보기 And (they) <u>used</u> them in other ways.

1. They killed their enemies with them.
2. Then they found more poisons.
3. The powder was dangerous.
4. But they didn't know that.

D 주어진 우리말과 뜻이 같도록 문장을 완성해 보세요.

1. 오래 전에, / 사람들은 자연의 독을 사용했다.
   → A long time ago, / ______________________.
   (poisons / humans / nature's / used)

2. 그들은 뱀독을 사용했다 // 그들이 동물을 사냥할 때.
   → They used snake poisons // ______________________.
   (animals / hunted / when / they)

3. 사람들은 독을 사용하기 시작했다 / 일상생활에서.
   → ______________________ / in daily life.
   (started / poisons / to use / people)

4. 몇몇 사람들은 독이 있는 식물을 사용했다 / 병을 치료하기 위해.
   → ______________________ / for curing illnesses.
   (used / plants / some / poisonous)

정답과 해설 p.57

The Hydra

A 주어진 의미에 맞는 단어를 <보기>에서 골라 빈칸을 채우세요.

보기 scared full smell collect instead cut off

동사 모으다	① ____________ old books for the library. 도서관을 위해 오래된 책을 모으세요.
부사 대신에	Susan enjoys green tea ② ____________. Susan은 대신 녹차를 즐긴다.
동사 1. 냄새 맡다 2. 냄새가 나다	I like to ③ ____________ the flowers. 나는 꽃을 냄새 맡는 것을 좋아한다.
형용사 가득 찬	The glass is ④ ____________ of juice. 그 유리잔은 주스로 가득 찼다.
~을 자르다	He will ⑤ ____________ his hair. 그는 머리를 자를 것이다.
형용사 무서워하는	I am ⑥ ____________ of big dogs. 나는 큰 개를 무서워한다.

B 주어진 단어의 알맞은 우리말 뜻을 찾아 연결하세요.

① powerful • • ~처럼 보이다

② grow • • 강력한

③ look like • • 자라다

C 아래 문장에서 주어에는 ○표, 동사에는 밑줄을 치세요.

보기 Hercules had 12 missions.

1. The Hydra was a monster.
2. Then he collected the monster's poisonous blood.
3. Also, the Hydra's blood was full of poison.
4. Hercules and his nephew killed the Hydra.

D 주어진 우리말과 뜻이 같도록 문장을 완성해 보세요.

1. 히드라는 ~처럼 보였다 / 많은 머리를 가진 뱀.

   → The Hydra looked like / ______________________________.

   (many / with / heads / a snake)

2. 모두가 ~을 무서워했다 / 히드라의 독이 있는 피.

   → ______________________________ / the Hydra's poisonous blood.

   (everyone / scared of / was)

3. 강한 남자들조차 죽었다 // 그들이 그것을 냄새 맡았을 때.

   → Even strong men died // ______________________________.

   (it / they / when / smelled)

4. 그는 그것을 사용했다 / 그가 다른 괴물들을 죽일 때.

   → He used it // ______________________________.

   (killed / other / he / when / monsters)

정답과 해설 p.57

The Power of Poison

A 주어진 의미에 맞는 단어를 <보기>에서 골라 빈칸을 채우세요.

보기 dangerous treat medicine useful serious recently

형용사 심각한	Air pollution is a ❶ ________ problem. 공기 오염은 심각한 문제이다.
명사 약	This ❷ ________ is good for a cold. 이 약은 감기에 좋다.
형용사 유용한, 도움이 되는	These books are ❸ ________ to me. 이 책들은 나에게 매우 유용하다.
동사 1. 치료하다 2. 대우하다, 다루다	This tea can ❹ ________ fevers. 이 차는 열을 치료할 수 있다.
부사 최근에	❺ ________, I moved to a new city. 최근에 나는 새로운 도시로 이사했다.
형용사 위험한	Poisonous snakes are very ❻ ________. 독이 있는 뱀은 정말 위험하다.

B 주어진 단어의 알맞은 우리말 뜻을 찾아 연결하세요.

❶ protect	•	•	일반적으로, 보통
❷ scientist	•	•	보호하다
❸ usually	•	•	과학자

C 아래 문장에서 주어에는 ○표, 동사에는 밑줄을 치세요.

보기 (They) <u>protect</u> themselves with them.

❶ Plants and animals make their own poison.

❷ These poisons are usually dangerous.

❸ The poison from cone snails is very powerful.

❹ Scientists study nature's poisons and create new medicines.

D 주어진 우리말과 뜻이 같도록 문장을 완성해 보세요.

❶ 그러나 일부는 사람에게 좋다.

→ But ______________________________.

(are / some / humans / good for)

❷ 이것은 도와준다 / 열과 통증을 치료하는 것을.

→ This helps / ______________________________.

(and / fever / to treat / pain)

❸ 과학자들은 새로운 치료법들을 찾고 싶어 한다.

→ ______________________________.

(new / find / want to / cures / scientists)

❹ 그것들의 독은 심각한 병들을 치료할 수 있을 것이다.

→ ______________________________.

(treat / their poison / could / serious diseases)

정답과 해설 p.57

Everybody Likes Foxgloves

A 주어진 의미에 맞는 단어를 <보기>에서 골라 빈칸을 채우세요.

보기 heart give pick touch somebody glove

동사 주다	I will ❶ ______ a present to Amy. 나는 Amy에게 선물을 줄 것이다.
명사 심장, 가슴	Exercise is good for your ❷ ______. 운동은 네 심장에 좋다.
명사 장갑	Excuse me. You dropped this ❸ ______. 실례합니다. 이 장갑을 떨어뜨리셨어요.
대명사 누군가, 어떤 사람	❹ ______ left flowers at the door. 누군가 현관에 꽃을 두고 갔다.
동사 만지다, 건드리다	Don't ❺ ______ the bowl. 그 그릇을 만지지 마라.
동사 1. (꽃을) 꺾다 2. 고르다, 선택하다	Don't ❻ ______ any flowers here. 여기서 어떤 꽃도 꺾지 마라.

B 주어진 단어의 알맞은 우리말 뜻을 찾아 연결하세요.

❶ take • • 듣다

❷ hear • • 가져가다

❸ inside • • 안으로

C 아래 문장에서 주어에는 ○표, 동사에는 밑줄을 치세요.

보기 They have dangerous poison.

1. It will bring bad luck.
2. The hens didn't hear the fox.
3. In the other story, fairies like playing in the flowers.
4. Long ago, bad fairies gave the flowers to a fox.

D 주어진 우리말과 뜻이 같도록 문장을 완성해 보세요.

1. 그 위험한 독은 유용하다 / 심장약에.

→ ______________________ / in heart medicine.

(the dangerous poison / useful / is)

2. 두 가지 이야기가 있다 / 이 꽃들에 관한.

→ ______________________ / about these flowers.

(are / there / two stories)

3. 요정들이 그것들을 만질 때, // 그들은 흰 반점을 남긴다.

→ When fairies touch them, // ______________________.

(spots / white / leave / they)

4. 하나를 꺾지 마라 / 또는 그것을 안으로 가져가지 마라.

→ ______________________ / ______________________.

(pick one / or / inside / take it / don't)

MEMO

MEMO

한눈에 보는 왓츠 Reading 시리즈

70 A|B

80 A|B

90 A|B

100 A|B

1 체계적인 학습을 위한 시리즈 및 난이도 구성
2 재미있는 픽션과 유익한 논픽션 50:50 구성
3 이해력과 응용력을 향상시키는 다양한 활동 수록
4 지문마다 제공되는 추가 어휘 학습
5 워크북과 부가자료로 완벽한 복습 가능
6 학습에 편리한 차별화된 모바일 음원 재생 서비스
→ 지문, 어휘 MP3 파일 제공

단계	단어 수 (Words)	Lexile 지수
70 A	60 ~ 80	200-400L
70 B	60 ~ 80	
80 A	70 ~ 90	300-500L
80 B	70 ~ 90	
90 A	80 ~ 110	400-600L
90 B	80 ~ 110	
100 A	90 ~ 120	500-700L
100 B	90 ~ 120	

* Lexile(렉사일) 지수는 미국 교육 연구 기관 MetaMetrics에서 개발한 독서능력 평가지수로, 미국에서 가장 공신력 있는 지수로 활용되고 있습니다.

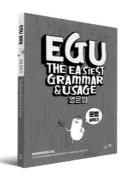

Words

80 A

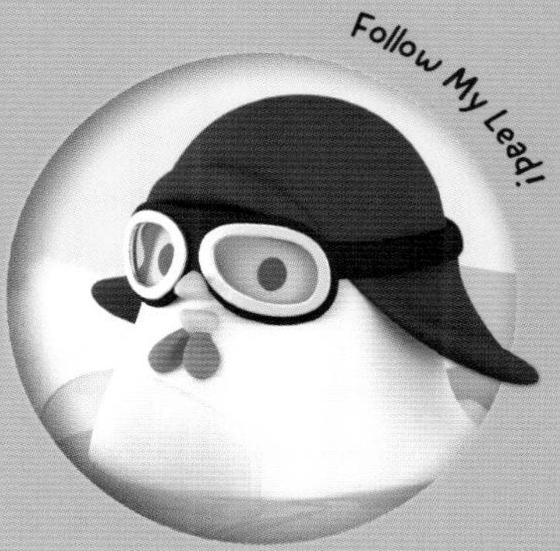

왓츠 리딩

What's Reading

김기훈 | 쎄듀 영어교육연구센터

정답과 해설

쎄듀

Words

80 A

정답과 해설

CHAPTER 1

Friends

01 Friends Help

pp.14 ~ 17

p. 15 **Check Up**	1 ①	2 ③	3 ③	4 ②	5 ⓐ: rabbit ⓑ: cat
p. 16 **Build Up**	1 (B)	2 (C)	3 (A)		
p. 16 **Sum Up**	a new	b home	c hurt	d shorter	
p. 17 **Look Up**	A 1 piece	2 new	3 hurt		
	B 1 lose - 잃다	2 become - ~해지다			
	3 wrap - 두르다	4 another - 또 하나의			
	C 1 felt	2 proud	3 piece		

Check Up

1 토끼가 자신의 코트로 친구들을 도와줬고, 모두 행복해졌다는 내용의 글이므로 정답은 ①이다.

2 토끼가 자신의 코트 조각을 잘라 개구리의 집을 만들어 주고(He made a new home for the frog.), 고양이의 상처를 감싸주어(He wrapped it around her tail.) 친구들을 도왔다고 했다. 개구리의 새 집 생김새나 고양이가 다친 이유에 대한 내용은 글에 등장하지 않는다.

3 밑줄 친 ⓐ가 있는 문장 앞에서 토끼가 자신의 코트에서 또 하나의 조각을 잘라냈다고(The rabbit cut out another piece of his coat.) 했으므로 밑줄 친 ⓐ는 토끼의 코트 조각을 가리킨다.

4 자신의 코트로 다친 고양이를 도와줄 수 있어서 토끼가 '더 행복해졌다'는 내용이 흐름상 자연스럽다.
① 나이가 더 많은 ② 더 행복한 ③ 더 작은

5 ⓐ 토끼는 개구리와 ⓑ 고양이를 도와주었다.

Build Up

1 — (B) 개구리는 자신의 집을 잃었다.

2 — (C) 토끼는 그 개구리를 위해 새 집을 만들어 주었다.

3 — (A) 토끼의 코트는 새것이 아니었지만, 그는 행복했다.

Sum Up

토끼는 자신의 ⓐ 새 코트를 자랑스러워했다. 어느 날, 그는 개구리를 보았다. 그 개구리는 자신의 집을 잃었다. 그래서 토끼는 자신의 코트 한 조각으로 새 ⓑ 집을 만들어 주었다. 그러고 나서 그 토끼는 고양이를 보았다. 그녀의 꼬리가 ⓒ 다쳤다. 토끼는 또 하나의 코트 조각으로 고양이를 도와주었다. 그 코트는 ⓓ 더 짧아졌지만, 토끼는 행복했다.

끊어서 읽기

토끼는 ~을 자랑스러워했다 / 그의 새 코트. 어느 날, / 그는 개구리를 보았다.
[1]A rabbit was proud of / his new coat. [2]One day, / he saw a frog.

그 개구리는 잃었다 / 자신의 집을. 토끼는 잘라 냈다 / 그의 코트 한 조각을. 그는 만들었다 /
[3]The frog lost / his home. [4]The rabbit cut out / a piece of his coat. [5]He made /

새 집을 / 그 개구리를 위해. 그 코트는 새것이 아니었다 / 더 이상. 하지만 토끼는
a new home / for the frog. [6]The coat was not new / any more. [7]But the rabbit

행복했다.
was happy.

토끼는 한 고양이를 보았다. 고양이는 슬펐다 // 그녀의 꼬리가 다쳤기 때문에.
[8]The rabbit saw a cat. [9]The cat was sad // because her tail was hurt.

토끼는 잘라 냈다 / 그의 코트의 또 하나의 조각을. 그는 그것을 감쌌다 / 그녀의 꼬리 주위에.
[10]The rabbit cut out / another piece of his coat. [11]He wrapped it / around her

고양이는 나아졌다. 코트는 더 짧아졌다. 하지만 토끼는 더 행복해졌다.
tail. [12]The cat felt better. [13]The coat became shorter. [14]But the rabbit felt happier.

우리말 해석

친구들은 도와줘요

[1]토끼는 자신의 새 코트를 자랑스러워했어요. [2]어느 날, 그는 개구리를 보았어요. [3]그 개구리는 자신의 집을 잃었어요. [4]토끼는 자신의 코트 한 조각을 잘라 냈어요. [5]그는 개구리를 위해 새 집을 만들어 주었어요. [6]코트는 더 이상 새것이 아니었지요. [7]하지만 토끼는 행복했어요.

[8]토끼는 고양이를 봤어요. [9]고양이는 꼬리를 다쳐서 슬펐어요. [10]토끼는 자기 코트의 또 다른 조각을 잘라 냈지요. [11]그는 그것으로 그녀의 꼬리 주위를 감쌌어요. [12]고양이는 나아졌어요. [13]코트는 더 짧아졌어요. [14]하지만 토끼는 더 행복했답니다.

주요 문장 분석하기

[9]The cat(주어) was(동사) sad(보어) **because** her tail(주어′) was(동사′) hurt(보어′).

→ because는 '~하기 때문에'라는 뜻이며, 이유를 나타내는 문장을 연결해주는 접속사이다.

[12]The cat(주어) **felt**(동사) ***better***(보어). [13]The coat(주어) **became**(동사) ***shorter***(보어). [14]But the rabbit(주어) **felt**(동사) ***happier***(보어).

→ 「feel[felt]+형용사」는 '~하게 느끼다[느꼈다]', 「become[became]+형용사」는 '~해지다[해졌다]'라는 뜻이다. 여기서 형용사는 주어의 상태를 보충 설명해 준다.

→ 세 문장 모두 형용사의 비교급이 쓰였다. better는 형용사 good의 비교급이다.

02 Becoming Good Friends

pp.18 ~ 21

p. 19 Check Up	1 ③	2 (a) ○ (b) ×	3 Brown	4 ①
	5 ⓐ: smile ⓑ: listen			
p. 20 Build Up	a like	b first	c special	d right
p. 20 Sum Up	a good	b inside	c yourself	d smiled
p. 21 Look Up	A 1 listen	2 smile	3 myself	
	B 1 special - 특별한	2 all - 모든		
	3 inside - ~의 안에	4 past - 과거		
	C 1 right	2 listen	3 talked	

Check Up

1 Brown은 스스로가 먼저 좋은 친구가 되려고 노력했고, 그 결과 모든 친구들이 Brown을 좋아하게 되었다는 내용이다. 따라서 정답은 ③이다.

2 (a) Brown은 친구들이 자신을 좋아하지 않았고 심지어 자기 자신도 좋아하지 않았다고(My friends didn't like me. I didn't like myself, either.) 했으므로 글의 내용과 맞다.
(b) Red가 Brown에게 특별하다고(Red said, "You're special. ~.") 했으므로 글의 내용과 틀리다.

3 Red가 Brown에게 '너 자신을 좋아하는 법을 배우라'고 조언했으므로, 밑줄 친 ⓐ는 Brown을 가리킨다.

4 Brown은 Green의 조언대로 자신이 좋은 친구가 되려고 노력했고, Red의 조언대로 스스로를 좋아하려고 노력했다는 흐름이 자연스러우므로 정답은 ①이다.
① 좋아하다 ② ~에게 말하다 ③ 배우다

5 Brown은 자주 ⓐ 웃지 않았다. 그는 다른 사람들(의 말)을 ⓑ 듣지 않았다.

Build Up

❶ Brown: 내 친구들은 나를 ⓐ 좋아하지 않아. 나도 나 자신을 좋아하지 않아.

❷ Green: ⓑ 먼저 좋은 친구가 되어 봐.

❸ Red: 너는 ⓒ 특별해. 너 자신을 좋아하는 법을 배워 봐.

❹ Brown: 네 말이 ⓓ 맞아. 나는 좋은 친구가 되고 나 자신을 좋아하려고 노력할 거야.

Sum Up

Brown은 친구가 많지 않았다. Green은 Brown에게 "네가 먼저 ⓐ 좋은 친구가 되어야 해."라고 말했다. Red는 Brown에게 "너는 네 ⓑ 안에 모든 색을 가지고 있어. ⓒ 너 자신을 좋아하는 법을 배워 봐."라고 말했다. Red가 맞았다. 그래서 Brown은 자주 ⓓ 웃었고 다른 사람들의 말을 들었다.

끊어서 읽기

나는 Brown이다. 과거에, / 나는 웃지 않았다 / 자주. 나는 다른 사람들(의 말)을 듣지 않았다.
[1]I am Brown. [2]In the past, / I didn't smile / often. [3]I didn't listen to others.

내 친구들은 나를 좋아하지 않았다. 나는 내 자신을 좋아하지 않았다. / 또한.
[4]My friends didn't like me. [5]I didn't like myself, / either.

어느 날, / 나는 Green에게 말을 걸었다. Green은 말했다 // "네가 ~가 되어야 해 / 좋은 친구 /
[6]One day, / I talked to Green. [7]Green said, // "You need to be / a good friend /

/ 먼저." 나는 또한 Red에게도 말했다. Red는 말했다. // "너는 특별해. 너는 모든 색을 가지고 있어
/ first." [8]I also talked to Red. [9]Red said, // "You're special. [10]You have every

/ 네 안에. 배워 봐 / 너 자신을 좋아하는 것을."
color / inside you. [11]Learn / to like yourself."

Red가 맞았다. 모든 색들이 함께 있을 때, // 그들은 나, Brown을 만들어 낸다!
[12]Red was right. [13]When all the colors are together, // they make me, Brown!

그래서 나는 자주 웃었다 / 그리고 다른 사람들의 말을 들었다. 나는 노력했다 / 좋은 친구가 되려고 /
[14]So I smiled often / and listened to others. [15]I tried / to be a good friend /

그리고 나 자신을 좋아하려고. 이제, / 모든 내 친구들이 나를 좋아한다.
and like myself. [16]Now, / all my friends like me.

우리말 해석

좋은 친구 되기

[1]나는 Brown입니다. [2]과거에, 나는 자주 웃지 않았습니다. [3]나는 다른 사람들의 말을 들어주지 않았어요. [4]내 친구들

은 나를 좋아하지 않았습니다. [5]나도 내 자신을 좋아하지 않았죠.

[6]어느 날, 나는 Green에게 말을 걸었습니다. [7]Green은 "네가 먼저 좋은 친구가 되어야 해."라고 말했어요. [8]나는 Red에게도 말을 걸었어요. [9]Red는 "넌 특별해. [10]넌 네 안에 모든 색을 가지고 있잖아. [11]너 자신을 좋아하는 법을 배워봐."라고 말했어요.

[12]Red의 말이 맞았습니다. [13]모든 색이 합쳐질 때, 그들은 나, Brown을 만들어 내요! [14]그래서 나는 자주 웃고 다른 사람들의 말을 들어주었습니다. [15]나는 좋은 친구가 되고 나 자신을 좋아하려고 노력했습니다. [16]이제, 모든 내 친구들이 나를 좋아합니다.

주요 문장 분석하기

[5]I **didn't** like myself, **either.**

주어 / 동사 / 목적어

→ either는 부정문에서 문장 끝에 쓰여 '~도 또한'이라는 뜻이 된다.

[11]**Learn** ***to like*** yourself.

동사 / 목적어

→ 주어 없이 동사원형으로 시작하는 명령문이다.

→ to like는 '좋아하는 것'으로 해석하며 to like yourself는 동사 learn의 목적어이다.

[15]I **tried to** be a good friend ***and*** (to) like myself.

주어 / 동사 / 목적어1 / 목적어2

→ 「try[tried] to+동사원형」은 '~하려고 노력하다[노력했다]'라는 의미이다.

→ 목적어 to be a good friend와 like myself가 and로 연결되었으며, like 앞에 to가 생략되었다.

03 Happy Together

pp.22 ~ 25

p. 23 Check Up	1 ② 2 (a) × (b) ○ 3 ③ 4 ③ 5 ⓐ: friends ⓑ: in trouble
p. 24 Build Up	a understand b help c in trouble d health
p. 24 Sum Up	a brains b happy c hearts d low
p. 25 Look Up	A 1 heart 2 trouble 3 study B 1 low - 낮은 2 show - 보여 주다 3 happiness - 행복 4 understand - 이해하다 C 1 protect 2 health 3 trouble

Check Up

1 좋은 친구는 우리를 행복하게 하고 건강에도 좋은 영향을 준다는 내용의 글이므로 정답은 ②이다.

2 (a) 우리의 뇌가 행복한 화학 물질을 만든다고(~ our brains make happy chemicals.) 했으므로 글의 내용과 틀리다.

(b) 행복한 사람들은 병에 걸릴 가능성이 낮다고(Happy people have low chances of getting diseases.) 했으므로 글의 내용과 맞다.

3 좋은 친구는 내 말을 들어주고, 이해해주며, 어려움에 처했을 때 도와준다고(Good friends listen to you ~ when you are in trouble.) 했으며, 친구와 함께 있을 때 우리의 뇌는 행복한 화학 물질을 만든다고(When we're with ~ happy chemicals.) 했다. 친구로 인해 행복한 감정을 느낀다고는 했지만 친구를 행복하게 만드는 방법에 대한 내용은 글에 없다.

4 친구와 함께 있으면 행복을 느끼는데, 행복한 사람들은 병에 걸릴 가능성이 낮으므로 '더 오래' 살 것이다.
① 더 빠르게 ② 더 짧게 ③ 더 오래

5 좋은 ⓐ 친구는 당신의 말을 들어주고 당신이 ⓑ 어려움에 처했을 때 당신을 도와준다.

Build Up

좋은 친구의 특징을 세 가지로 정리해 본다.

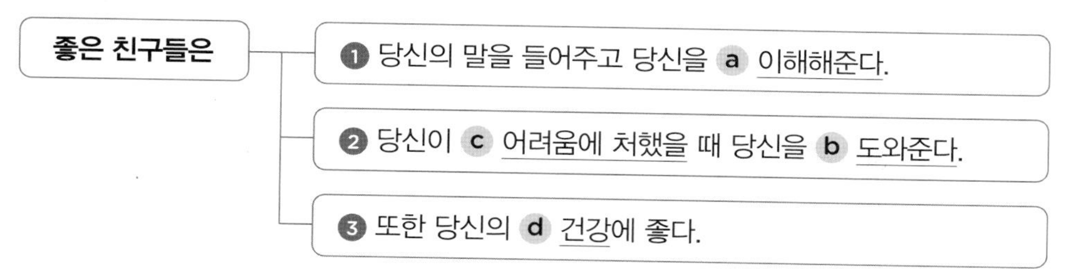

Sum Up

친구가 우리에게 미치는 영향과 그 과정을 설명한다.

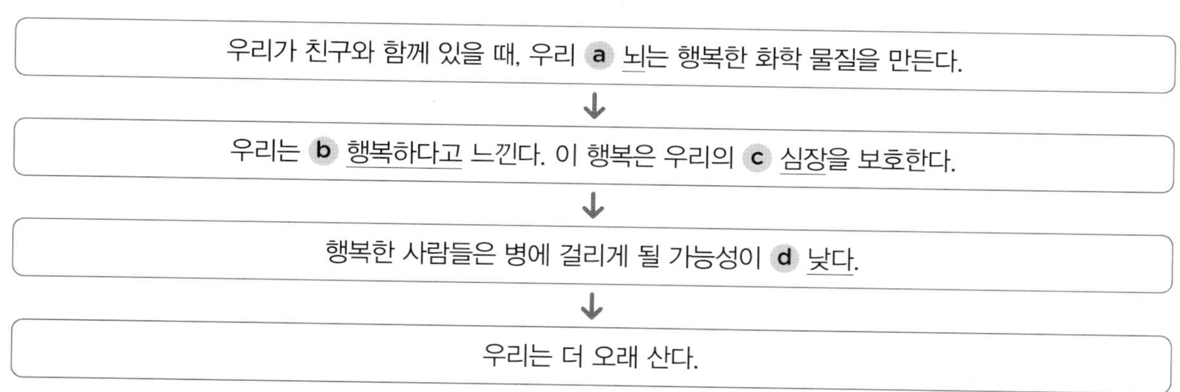

우리가 친구와 함께 있을 때, 우리 a 뇌는 행복한 화학 물질을 만든다.
우리는 b 행복하다고 느낀다. 이 행복은 우리의 c 심장을 보호한다.
행복한 사람들은 병에 걸리게 될 가능성이 d 낮다.
우리는 더 오래 산다.

끊어서 읽기

여러분은 좋은 친구들이 있는가 / 여러분 주변에? 좋은 친구들은 여러분의 말을 들어준다 / 그리고
[1]Do you have good friends / around you? [2]Good friends listen to you / and

여러분을 이해해준다. 그들은 또한 여러분을 도와준다 // 여러분이 어려움에 처했을 때. 우리는 좋은
understand you. [3]They also help you // when you are in trouble. [4]We need good

친구들이 필요하다 / 우리의 행복을 위해서.
friends / for our happiness.

친구들은 또한 여러분의 건강에 좋다 // 그리고 많은 연구들이 그것을 보여 준다. 우리가
[5]Friends are also good for your health, // and many studies show it. [6]When we're

친구들과 함께 있을 때, // 우리의 뇌는 만든다 / 행복한 화학물질을. 그래서 우리는 행복하다고 느낀다.
with friends, // our brains make / happy chemicals. [7]So we feel happy.

이 행복은 보호한다 / 우리의 심장을. 그러나 더 많은 것이 있다. 행복한 사람들은 가지고 있다 /
[8]This happiness protects / our hearts. [9]But there is more. [10]Happy people have /

병에 걸릴 낮은 가능성을. 그래서 / 우리는 더 오래 산다 / 친구들 때문에.
low chances of getting diseases. [11]So / we live longer / because of friends.

우리말 해석

함께라서 행복한

[1]여러분 주변에는 좋은 친구들이 있나요? [2]좋은 친구들은 여러분의 말을 들어주고 여러분을 이해해줍니다. [3]그들은 또한 여러분이 어려움에 처했을 때 도와줍니다. [4]우리는 우리의 행복을 위해 좋은 친구가 필요합니다.
[5]친구들은 또한 여러분의 건강에 좋으며, 많은 연구들이 그것을 보여 줍니다. [6]우리가 친구들과 함께 있을 때, 우리의 뇌는 행복한 화학 물질을 만듭니다. [7]그래서 우리는 행복하다고 느낍니다. [8]이 행복은 우리의 심장을 보호합니다. [9]그런데 더 많은 것이 있습니다. [10]행복한 사람들은 병에 걸릴 가능성이 낮습니다. [11]그래서 우리는 친구들 때문에 더 오래 삽니다.

주요 문장 분석하기

[2]Good friends listen to you **and** understand you.
(Good friends: 주어 / listen to: 동사1 / you: 목적어1 / understand: 동사2 / you: 목적어2)

→ 주어인 Good friends에 동사 listen to와 understand가 and로 연결되어 있다.

[10]Happy people have *low chances* [of **getting** diseases].
(Happy people: 주어 / have: 동사 / low chances [of getting diseases]: 목적어)

→ of getting diseases는 low chances를 뒤에서 꾸며준다.

→ getting은 '(병에) 걸리는 것'으로 해석한다.

[11]So, we live longer **because of** friends.
→ 「because of+명사」는 '~ 때문에'라는 의미이다.

04 Ford and Edison

pp.26 ~ 29

p. 27 **Check Up**	1 ②	2 ③	3 ③	4 ⓐ: met ⓑ: friendship
p. 28 **Build Up**	1 (B)	2 (D)	3 (A)	4 (C)
p. 28 **Sum Up**	a advice	b next to	c gave	d breath
p. 29 **Look Up**	A 1 keep	2 invent	3 next to	
	B 1 hero - 영웅	2 buy - 사다		
	3 meet - 만나다	4 travel - 여행하다		
	C 1 before	2 advice	3 begin	

Check Up

1 Ford가 자신의 어린 시절 영웅이었던 Edison과 만나서 깊은 우정을 나누었다는 내용이므로 정답은 ②이다.

2 Ford는 Edison의 별장 바로 옆에 있는 별장을 샀다고(Ford bought a vacation home next to Edison's.) 했으므로 ③은 글의 내용과 틀리다.

3 Ford는 자동차를 발명하기 시작했고(~ started inventing one.), Edison과 함께 여행하기도(They traveled together ~.) 했다. 시험관에 Edison의 마지막 숨을 넣은 사람은 Edison의 아들이다(So Edison's son put it in a test tube ~.).

4 Ford는 1896년에 Edison을 ⓐ 만났고, 그들의 ⓑ 우정이 시작되었다.

Build Up

❶ — (B) Edison은 Ford의 어린 시절 영웅이었다.

❷ — (D) Edison은 Ford의 자동차에 대해 조언했다.

❸ — (A) Ford와 Edison은 함께 여행했다.

❹ — (C) Ford는 자신이 죽을 때까지 시험관 안에 Edison의 마지막 숨을 간직했다.

Sum Up

Ford는 Edison의 회사에서 일했다. 그가 Edison을 만났을 때, Edison은 Ford의 자동차에 대해 ⓐ 조언했다. 그들은 그때부터 친구가 되었다. Ford는 Edison의 별장 ⓑ 바로 옆에 있는 별장을 샀다. Edison이 죽었을 때 Edison의 아들은 Ford에게 시험관을 ⓒ 주었다. 그 시험관 안에는 Edison의 마지막 ⓓ 숨이 있었다.

끊어서 읽기

Thomas Edison은 ~이었다 / Henry Ford의 어린 시절 영웅. 1890년에, / Ford는 ~에서 일했다
[1]Thomas Edison was / Henry Ford's boyhood hero. [2]In 1890, / Ford worked for

/ Edison의 회사. 그러나 그는 원했다 / 자동차를 발명하기를 / 그리고 시작했다 /
/ Edison's company. [3]But he wanted / to invent cars / and started /

하나를 발명하기를.
inventing one.

Ford는 Edison을 만났다 / 1896년에. Edison은 Ford의 자동차에 대해 조언했다. 그때부터,
[4]Ford met Edison / in 1896. [5]Edison gave advice on Ford's car. [6]From then on,

/ 그들의 우정이 시작되었다. 그들은 함께 여행했다, // 그리고 Ford는 샀다 / 별장을
/ their friendship began. [7]They traveled together, // and Ford bought / a vacation

/ Edison의 별장 바로 옆에 있는.
home / next to Edison's.

Ford는 원했다 / Edison의 마지막 숨을 간직하기를 / Edison의 죽음 전에. 그래서 /
[8]Ford wanted / to keep Edison's last breath / before Edison's death. [9]So /

Edison의 아들은 그것을 넣었다 / 시험관 안에 / 그리고 그 시험관을 주었다 / Ford에게. Ford는
Edison's son put it / in a test tube / and gave the tube / to Ford. [10]Ford

그것을 간직했다 / 그가 죽을때 까지.
kept it / until his death.

우리말 해석

Ford와 Edison

[1]Thomas Edison은 Henry Ford의 어린 시절 영웅이었습니다. [2]1890년에, Ford는 Edison의 회사에서 일했습니다. [3]그러나 그는 자동차를 발명하고 싶어서 하나를 발명하기 시작했습니다.

[4]1896년에, Ford는 Edison을 만났습니다. [5]Edison은 Ford의 자동차에 대해 조언했습니다. [6]그때부터, 그들의 우정이 시작되었습니다. [7]그들은 함께 여행했고, Ford는 Edison의 별장 바로 옆에 있는 별장을 샀습니다.

[8]Ford는 Edison이 죽기 전에 Edison의 마지막 숨을 간직하고 싶어 했습니다. [9]그래서 Edison의 아들은 그것을 시험관에 넣었고, Ford에게 그 시험관을 주었습니다. [10]Ford는 자신이 죽을 때까지 그것을 간직했습니다.

주요 문장 분석하기

[3]But he **wanted** to invent cars ***and*** **started** ***inventing*** *one*.

주어 (he) / 동사1 (wanted) / 목적어1 (to invent cars) / 동사2 (started) / 목적어2 (inventing one)

→ 동사 wanted와 started가 and로 연결되었다.

→ 동사 started의 목적어 자리에 「동사원형+-ing」의 형태인 inventing이 쓰였으며, '발명하는 것'이라고 해석한다.

→ one은 앞에 나온 명사 '한 개'인 a car를 가리킨다. 명사의 반복을 피하기 위해 사용된다.

[7]~, Ford bought *a vacation home* [next to **Edison's** (vacation home)].

목적어 (a vacation home [next to Edison's (vacation home)])

→ next to Edison's는 명사 a vacation home을 뒤에서 꾸며준다.

→ 명사 vacation home의 반복을 피하기 위해 Edison's 뒤에 vacation home이 생략되었다.

[8]Ford wanted to keep Edison's last breath **before** Edison's death.

주어 (Ford) / 동사 (wanted) / 목적어 (to keep Edison's last breath)

→ before는 '~ 전에'라는 뜻의 전치사이다.

CHAPTER

2 Fashion

01 Olivia's Fashion

pp.32 ~ 35

p. 33 Check Up	1 ① 2 (a) ○ (b) × 3 ③ 4 ⓐ: busy ⓑ: changes
p. 34 Build Up	1 (B) 2 (C) 3 (A)
p. 34 Sum Up	a busy b looked for c gray d perfect
p. 35 Look Up	A 1 light 2 shirt 3 ready B 1 put on - 입다 2 anywhere - 어디에서도 3 pick - 고르다 4 look - ~해 보이다; 보다 C 1 busy 2 ready 3 perfect

Check Up

1 Olivia가 학교에 가기 위해, 여러 바지를 입어보고 자신에게 맞는 바지를 찾았다는 내용이므로 정답은 ①이다.

2 (a) Olivia는 아침마다 바쁘다고 하면서, 항상 옷을 세 번 갈아입는다고(She always changes her clothes three times.) 했으므로 글의 내용과 맞다.
(b) Olivia는 진한 청바지를 찾았고, 그것들은 세탁기 안에 있었다고(They were still in the washing machine.) 했으므로 글의 내용과 틀리다.

3 Olivia는 먼저 파란 셔츠를 입고 나서(One morning, she put on a blue shirt.) 여러 벌의 바지를 입어 보았다. 마지막에 검은색 바지를 입고 나서 학교 갈 준비가 되었다고 했으므로("They look perfect." Finally, she was ready for school.) 학교에 입고 간 옷은 ③이다.

4 Olivia는 옷을 세 번 ⓑ 갈아입기 때문에 매일 아침 ⓐ 바쁘다.

Build Up

❶ — (B) Olivia는 내가 너무 연해서 나를 좋아하지 않았다.

❷ — (C) 나는 그 셔츠와 같이 나빠 보이지 않는다. 하지만 Olivia는 나를 고르지 않았다.

❸ — (A) Olivia는 나를 골랐다. 파란 셔츠와 나는 함께 잘 어울린다.

Sum Up

Olivia는 학교에 가기 위해 옷을 세 번 갈아입는다. 그래서 그녀는 아침마다 ⓐ 바쁘다. 어느 날 아침에, Olivia는 그녀의 진한 청바지를 ⓑ 찾았다. 하지만 그 청바지는 세탁기 안에 있었다. 그녀는 흰색, ⓒ 회색, 또는 검은색 바지로 세 개의 선택권이 있었다. 그녀는 검은색 바지를 골랐다. 그것은 그 파란 셔츠와 ⓓ 완벽해 보였다.

끊어서 읽기

Olivia는 바쁘다 / 아침마다. 그녀는 멋져 보이고 싶다 / 학교에서. 그녀는 항상 갈아입는다 / 그녀의 옷을 / 세 번.

[1]Olivia is busy / every morning. [2]She wants to look good / at school. [3]She always changes / her clothes / three times.

어느 날 아침, / 그녀는 입었다 / 파란색 셔츠를. 그러고 나서 그녀는 ~을 찾았다 / 그녀의 진한 청바지를.

[4]One morning, / she put on / a blue shirt. [5]Then she looked for / her dark jeans.

하지만 그녀는 그것을 찾을 수 없었다 / 어디에서도. 오 이런! 그것들은 아직도 있었다 / 세탁기 안에.

[6]But she couldn't find them / anywhere. [7]Oh no! [8]They were still / in the washing machine.

Olivia는 입었다 / 흰색 바지를. 그녀는 거울을 들여다봤다 / 그리고 말했다, // "그것들은 너무 연해." 그 다음 그녀는 입었다 / 회색 바지를. "흠… 나쁘진 않네." 그 다음 그녀는 골랐다 / 검은색 바지를 / 그리고 그것을 입었다. "그것은 완벽해 보여." 마침내, / 그녀는 학교에 갈 준비가 되었다.

[9]Olivia put on / white pants. [10]She looked in the mirror / and said, // "They're too light." [11]Then she put on / gray pants. [12]"Hmm... they are not bad." [13]Then she picked / black pants / and put them on. [14]"They look perfect." [15]Finally, / she was ready for school.

우리말 해석

Olivia의 패션

[1]Olivia는 아침마다 바쁩니다. [2]그녀는 학교에서 멋져 보이고 싶어 해요. [3]그녀는 항상 옷을 세 번이나 갈아입는답니다.

[4]어느 날 아침, 그녀는 파란색 셔츠를 입었어요. [5]그러고 나서 그녀의 진한 청바지를 찾았지요. [6]하지만 그녀는 어디에서도 그것을 찾을 수 없었어요. [7]오 이런! [8]그 청바지는 아직 세탁기 안에 있었거든요.

[9]Olivia는 흰색 바지를 입었어요. [10]그녀는 거울을 들여다보고 말했어요, "바지 색이 너무 연해." [11]그 다음 그녀는 회색 바지를 입었어요. [12]"흠… 나쁘진 않네." [13]그 다음 그녀는 검은색 바지를 골라서 입었어요. [14]"검은 바지가 완벽해 보이네." [15]마침내, 그녀는 학교에 갈 준비가 되었어요.

주요 문장 분석하기

[3]She **always** changes her clothes three times.
주어 / 동사 / 목적어

→ always는 '언제나, 항상'의 의미로, 보통 be동사 뒤, 일반동사 앞에 쓴다.

[12]Then she **put on** *gray pants*. [14]Then she picked black pants and **put** *them* **on**.

→ 동사 put on은 '~을 입다'라는 의미이다. 목적어가 대명사일 때는 「put+대명사+on」의 순서만 가능하고, 목적어가 명사일 때는 「put on+명사」, 「put+명사+on」의 순서가 둘 다 가능하다. ~ put on them (×)

→ 대명사 them은 앞에 나온 black pants를 가리킨다.

02 Special Clothing

pp.36 ~ 39

p. 37 **Check Up**	1 ③	2 ②	3 (a) ○ (b) ○	4 ③	5 ⓐ: clothing ⓑ: special
p. 38 **Build Up**	a tight	b pants	c long	d wrap	e every
p. 38 **Sum Up**	a clothing	b long	c with	d women	e bodies

p. 39 **Look Up**

A 1 wear 2 tight 3 uniform

B 1 traditional - 전통적인 2 special - 특별한 3 clothing - 옷, 의복 4 long - (길이가) 긴; 길이가 ~인

C 1 wears 2 means 3 tight

Check Up

1 베트남의 아오자이와 인도의 사리를 예로 들면서 세계의 전통 의상에 대해 설명하므로 정답은 ③이다.

2 아오자이는 긴 바지와 함께 입는다고(Women wear it with long pants.) 했으므로 정답은 ②이다.

3 (a) 아오자이는 길고 꽉 조이는 원피스라고(It's a long and tight dress.) 했다.
(b) 인도 여자들은 사리를 몸에 두른다고(Women wrap it around their bodies.) 했다.

4 앞에서 베트남의 전통 의상인 아오자이에 대한 설명이 등장하며, 빈칸이 있는 문장 다음에도 인도의 전통 의상인 사리를 예로 들어 설명하고 있으므로 빈칸에는 '전통 의상'이 들어가야 알맞다.
① 교복 ② 여성복 ③ 전통 의상

5 많은 나라는 전통 ⓐ 의상이 있으며, 사람들은 ⓑ 특별한 행사에나 매일 그것을 입는다.

Build Up

	베트남	인도
여성 전통 의상	아오자이	사리
그것은 어떻게 생겼는가?	그것은 길고 a 꽉 조이는 원피스이다.	그것은 4에서 8미터 c 길이이다.
여자들은 그것을 어떻게 입는가?	여자들은 그것을 긴 b 바지와 함께 입는다.	여자들은 그것을 자신의 몸에 d 두른다.
여자들은 그것을 언제 입는가?	여자들은 특별한 행사에나 교복으로 그것을 입는다.	여자들은 e 매일 그것을 입는다.

Sum Up

전통 의상은 나라마다 다르다. 한복은 한국 전통 a 의상이다. 아오자이는 베트남의 여성 의상이다. 그것은 b 길고 꽉 조이는 원피스이며, 여자들은 그것을 긴 바지와 c 함께 입는다. 인도에서는 많은 d 여자들이 사리를 입는다. 그것은 매우 길며, 여자들은 그것을 자신의 e 몸에 두른다.

끊어서 읽기

한복은 한국의 전통 의상이다. 많은 다른 나라들은 가지고 있다 / 전통 의상을, / 또한.
[1]Hanbok is traditional Korean clothing. [2]Many other countries have / traditional clothing, / too.

아오자이는 여성 의상이다 / 베트남에서. 그것은 길고 꽉 조이는 원피스이다. 아오자이는 '긴 셔츠'를 의미한다. 여자들은 그것을 입는다 / 긴 바지와 함께. 그들은 아오자이를 입는다 / 특별한 행사에서 / 결혼식과 같은. 하지만 어떤 도시에서는, / 여자아이들은 그것을 입는다 / 그들의 교복으로.
[3]Ao dai is women's clothing / in Vietnam. [4]It's a long and tight dress. [5]Ao dai means "long shirt." [6]Women wear it / with long pants. [7]They wear ao dais / at special events / like weddings. [8]But in some towns, / girls wear them / as their school uniform.

어떤 나라에서는, / 사람들이 전통 의상을 입는다 / 매일. 예를 들면, / 인도의 많은 여자들이 / 사리를 입는다. 그것은 보통 4에서 8미터까지의 길이이다. 여자들은 그것을 두른다 / 그들의 몸을 둘러싸며.
[9]In some countries, / people wear traditional clothing / every day. [10]For example, / many women in India / wear a sari. [11]It's usually 4 to 8 meters long. [12]Women wrap it / around their bodies.

우리말 해석

특별한 의상

[1]한복은 한국의 전통 의상입니다. [2]많은 다른 나라들도 전통 의상이 있지요.

[3]아오자이는 베트남의 여성 의상입니다. [4]그것은 길고 꽉 조이는 원피스이지요. [5]아오자이는 '긴 셔츠'를 의미해요. [6]여자들은 그것을 긴 바지와 함께 입죠. [7]그들은 결혼식과 같은 특별한 행사에서 아오자이를 입어요. [8]하지만 어떤 도시에선, 여자아이들이 그것을 교복으로 입기도 한답니다.

[9]어떤 나라에서는 사람들이 매일 전통 의상을 입습니다. [10]예를 들면, 인도의 많은 여자들이 사리를 입어요. [11]그것은 보통 4미터에서 8미터까지의 길이예요. [12]여자들은 그것을 자신의 몸에 두릅니다.

주요 문장 분석하기

[4]It's a long **and** tight *dress*.

→ and가 long과 tight를 연결해서 둘 다 dress를 꾸민다.

[7]They(주어) wear(동사) ao dais(목적어) at *special events* [like weddings].

→ like weddings는 special events를 뒤에서 꾸며준다.

[10]**For example**, *many women* [in India](주어) **wear**(동사) a sari(목적어).

→ For example은 '예를 들면'이라는 뜻으로, 앞서 등장한 내용의 예시를 설명한다.

→ in India는 many women을 뒤에서 꾸며준다.

→ 문장의 주어는 복수명사인 many women(많은 여자들)이므로 동사 wear가 쓰였다. 바로 앞에 있는 India는 주어가 아님에 주의한다.

[11]It's usually 4 **to** 8 meters ***long***.

→ 여기서 to는 '~까지'라는 의미이다.

→ 형용사 long은 '긴'이라는 뜻 외에도 '(길이가) ~인'이라는 뜻이 있다. 길이를 나타내는 표현 뒤에 쓰인다.

03 Kate's Ao Dai

pp.40 ~ 43

p. 41 Check Up	1 ②	2 ②	3 ①	4 ⓐ: went ⓑ: laughed at
p. 42 Build Up	a name	b visited	c festival	d dancing
p. 42 Sum Up	a clapped 2 → 4 → 3 → 1	b classmates	c dance	d Welcome
p. 43 Look Up	A 1 laugh at	2 dance		3 clap
	B 1 festival - 축제	2 everyone - 모든 사람		
	3 classmate - 반 친구	4 introduce - 소개하다		
	C 1 dance	2 Welcome to		3 stood up

Check Up

1 반 친구들은 Kate를 처음에 비웃었지만, Kate가 아오자이 설명과 함께 축제 때 보았던 춤까지 선보이자 그녀에게 감탄하며 박수를 쳤다.

2 Kate는 지난겨울에 베트남에 갔다고(Last winter, I visited my grandmother in Vietnam.) 했으므로 글의 내용과 틀리다.

3 축제에서 사람들이 이렇게 춤을 추었다는 말과 함께 한 행동이므로 '춤을 추기' 시작했다는 내용이 되어야 글의 흐름에 알맞다.

① 춤추기 ② 노래하기 ③ 이야기하기

5 Kate는 그녀의 아오자이를 입고 학교에 ⓐ 갔다. 그녀의 반 친구들은 그녀를 ⓑ 비웃었다.

Build Up

내 a 이름은 Kate야. 지난겨울에, 나는 베트남을 b 방문했어. 우리 할머니가 그곳에 사시거든. 할머니께서 나를 위해 이 아오자이를 만들어 주셨어. 우리는 c 축제에 갔었지. 많은 사람들이 d 춤추고 있었어.

Sum Up

❷ Kate는 아오자이를 입고 학교에 갔고 그녀의 b (반 친구들 / 선생님)이 그녀를 비웃었다. → ❹ 선생님이 들어와서 "1학년이 된 걸 d (방문해요 / 환영해요)."라고 말씀하셨다. →

❸ Kate는 일어서서 자신을 소개했다. 그러고 나서 그녀는 c (노래하기 / 춤추기) 시작했다. → ❶ 선생님과 반 친구들은 Kate가 춤추는 걸 끝냈을 때 a (박수를 쳤다 / 일어섰다).

끊어서 읽기

학교에서의 첫날이었다. Kate는 그녀의 아오자이를 입었다 / 그리고 학교에 갔다.
[1]It was the first day of school. [2]Kate put on her ao dai / and went to school.

그녀의 반 친구들은 그녀를 비웃었다. 선생님이 들어왔다. "1학년이 된 걸 환영해요.
[3]Her classmates laughed at her. [4]The teacher came in. [5]"Welcome to the first

여러분 자신을 소개해 주세요."
grade. [6]Please introduce yourselves."

Kate가 일어서서 말했다. // "제 이름은 Kate입니다. 지난겨울에, / 저는 할머니 댁을
[7]Kate stood up and said, // "My name is Kate. [8]Last winter, / I visited my

방문했어요 / 베트남에 계시는. 할머니께서 이 원피스를 만들어 주셨어요 / 저를 위해. 우리는 축제에 갔어요.
grandmother / in Vietnam. [9]She made this dress / for me. [10]We went to a festival.

많은 사람들이 춤추고 있었어요 / 이렇게."
[11]Many people were dancing / like this."

Kate는 춤을 추기 시작했다. 그녀가 끝냈을 때, // 선생님은 박수를 쳤다. "그것은
[12]Kate started to dance. [13]When she finished, // the teacher clapped. [14]"That was

아름다웠어, / Kate." 그리고 다른 모든 사람들은 / 박수를 치기 시작했다. / ~도.
beautiful, / Kate." [15]And everyone else / started to clap, / too.

우리말 해석

Kate의 아오자이

[1]학교에서의 첫날이었습니다. [2]Kate는 자신의 아오자이를 입고 학교에 갔습니다. [3]그녀의 반 친구들은 그녀를 비웃었어요. [4]선생님께서 들어오셨습니다. [5]"1학년이 된 걸 환영합니다. [6]여러분 자신을 소개해 주세요."

[7]Kate가 일어서서 말했습니다. "제 이름은 Kate입니다. [8]지난겨울에, 저는 베트남에 계시는 할머니 댁을 방문했어요. [9]할머니께서 저를 위해 원피스를 만들어 주셨어요. [10]우리는 축제에 갔어요. [11]많은 사람들이 이렇게 춤을 추고 있었어요."

[12]Kate는 춤을 추기 시작했습니다. [13]그녀가 끝냈을 때, 선생님께서 박수를 치셨어요. [14]"그것은(너의 춤은) 아름다웠어, Kate." [15]그리고 다른 모든 사람들도 박수를 치기 시작했습니다.

주요 문장 분석하기

[1]**It** was the first day of school.

→ 여기서 It은 '그것'이라고 해석하지 않으며, 시간, 날씨, 날짜 등을 말할 때 주어 자리에 쓰이는 비인칭 주어이다.

[6]**Please** introduce ***yourselves***.

→ 주어(you)가 생략되고 동사원형으로 시작되는 명령문이다.

→ 남에게 정중하게 부탁할 때 쓰는 감탄사 please는 보통 문장 맨 앞이나 맨 뒤에 쓴다.

→ yourselves는 yourself의 복수형이며, 상대방을 가리키는 재귀대명사이다.

[11]There, many people **were dancing** *like this.*"
(many people: 주어 / were dancing: 동사)

→ 「was[were]+동사원형+-ing」의 형태로 '~하고 있었다, ~하는 중이었다'라는 의미를 가진 과거진행형이다.

→ like this는 '이렇게, 이와 같이'라는 뜻으로, 여기서 this는 사물이 아닌 지금부터 하려는 것을 가리킨다.

[12]Kate started **to dance**.
(Kate: 주어 / started: 동사 / to dance: 목적어)

→ to dance는 '춤추는 것'으로 해석하며, 동사 started의 목적어이다.

04 Coco Chanel

pp.44 ~ 47

p. 45 Check Up	1 ③	2 ③	3 ③	4 ①	5 ⓐ: black ⓑ: changed
p. 46 Build Up	1 (B)	2 (C)	3 (A)		
p. 46 Sum Up	2 → 1 → 4 → 3				
p. 47 Look Up	A 1 stage	2 shop	3 sew		
	B 1 learn - 배우다	2 comfortable - 편안한			
	3 type - 유형, 종류	4 simple - 간결한			
	C 1 created	2 clothes	3 open		

Check Up

1 Gabrielle Coco Chanel의 일생에 대한 사실과 업적에 대한 내용이므로 정답은 ③이다.

2 Chanel은 바느질하면서 돈을 벌었고(She started to sew for money.) 사람들이 그녀를 Coco라고 불렀다고(People called her Coco.) 했다. 그녀는 패션에 아무도 사용하지 않는 검은색을 사용했다고(She used black and created a new type of fashion.) 했으므로 ③은 글의 내용과 틀리다.

3 Chanel은 돈을 벌어서 모자 가게를 열었고, 밤에 무대에서 노래를 했지만, 화려한 드레스를 만들었다는 내용은 없으므로 정답은 ③이다.

4 빈칸 앞에서는 아무도 검은색을 사용하지 않았다고 했고, 빈칸 뒤에서는 Chanel은 달랐고 검은색을 사용하여 새로운 유형의 패션을 만들어 냈다고 했으므로, 반대를 나타내는 접속사 but이 빈칸에 가장 알맞다.
① 그러나 ② 그리고 ③ 왜냐하면

5 Chanel은 ⓐ 검은색을 사용해서 여성복을 영원히 ⓑ 바꾸었다.

Build Up

원인		결과
❶ Chanel은 돈을 벌고 싶어 했다.	—	(B) Chanel은 바느질했고, 밤에는 노래를 불렀다.
❷ Chanel은 검은색을 사용해서 새로운 유형의 패션을 만들어 냈다.	—	(C) Chanel의 옷은 여성복을 영원히 바꿨다.
❸ 파티에서 Chanel은 꽉 조이는 드레스를 입은 여자들을 보았다.	—	(A) Chanel은 간결하고 편한 옷을 만들기로 결심했다.

Sum Up

❷ Chanel은 열한 살에 바느질하는 것을 배웠다. 그녀는 돈을 벌기 시작했다. → ❶ 밤에, 그녀는 무대에서 노래를 불렀다. 사람들은 그녀를 Coco라고 불렀다. →

❹ 그녀는 돈을 벌어서 모자 가게를 열었다. → ❸ 그녀는 검은색으로 간결하고 편한 옷을 만들었다.

끊어서 읽기

Gabrielle Chanel은 바느질하는 것을 배웠다 / 열한 살에. 그녀는 바느질하기를 시작했다 / 돈을 (벌기) 위해.
[1]Gabrielle Chanel learned to sew / at 11. [2]She started to sew / for money.

그러나 밤에, / 그녀는 노래했다 / 무대에서. 사람들은 그녀를 Coco라고 불렀다. 그녀는 돈을 벌었다 /
[3]But at night, / she sang / on stage. [4]People called her Coco. [5]She made money /

그리고 모자 가게를 열었다.
and opened a hat shop.

어느 날, / 그녀는 다른 여성들을 보았다 / 파티에서. 그들은 파티를 즐길 수 없었다 /
[6]One day, / she saw other women / at a party. [7]They couldn't enjoy the party /

그들의 꽉 조이는 드레스 때문에. Chanel은 만들기로 결심했다 / 간결하고 편한 옷을.
because of their tight dresses. [8]Chanel decided to make / simple and comfortable

아무도 검은색을 사용하지 않았다 / 패션에 / 그때, // 그러나 Chanel은 달랐다.
clothes. [9]Nobody used the color black / in fashion / then, // but Chanel was

그녀는 검은색을 사용했다 / 그리고 새로운 유형의 패션을 만들어 냈다. 그녀의 옷은
different. [10]She used black / and created a new type of fashion. [11]Her clothes

바꾸었다 / 여성복을 / 영원히.
changed / women's clothing / forever.

우리말 해석

Coco Chanel

[1]Gabrielle Chanel은 열한 살에 바느질하는 것을 배웠습니다. [2]그녀는 돈을 벌기 위해 바느질하기 시작했어요. [3]그러나 밤에, 그녀는 무대에서 노래를 불렀습니다. [4]사람들은 그녀를 Coco라고 불렀지요. [5]그녀는 돈을 벌었고 모자 가게를 열었습니다.

[6]어느 날, 그녀는 파티에서 다른 여성들을 보았습니다. [7]그들은 꽉 조이는 드레스 때문에 파티를 즐길 수 없었어요. [8]Chanel은 간결하고 편한 옷을 만들기로 결심했습니다. [9]그때는 아무도 검은색을 패션에 사용하지 않았지만, Chanel은 달랐습니다. [10]그녀는 검은색을 사용했고 새로운 유형의 패션을 만들어 냈어요. [11]그녀의 옷은 여성복을 영원히 바꾸었습니다.

주요 문장 분석하기

[1]Gabrielle Chanel learned **to sew** ***at*** 11.

주어 / 동사 / 목적어

→ to sew는 '바느질하는 것'으로 해석하며, 동사 learned의 목적어이다.

→ 여기서 at은 나이 앞에 쓰여 '~ 살에, ~ 살 때'라는 의미이다.

[7]They **couldn't** enjoy the party **because of** their tight dresses.

주어 / 동사 / 목적어

→ couldn't는 '~할 수 없었다'라는 뜻으로, 조동사 cannot의 과거형으로 쓰였다.

→ because of는 '~하기 때문에'라는 뜻으로, 뒤에 명사가 온다.

[9]**Nobody** used the color black in fashion before, ***but*** Chanel was different.

→ nobody는 '아무도 ~않다'를 의미하며, 문장에서 부정의 의미를 나타낸다.

→ but은 '그러나'를 의미하며, 반대되는 의미의 두 문장을 연결해주는 접속사이다.

CHAPTER 3

Lightning

01 Weather Change

pp.50 ~ 53

p. 51 Check Up	1 ③	2 (a) × (b) ○	3 ②	4 ⓐ: dark ⓑ: storm
p. 52 Build Up	a sound	b dark	c raining	d louder
p. 52 Sum Up	4 → 3 → 2 → 1			
p. 53 Look Up	A 1 watch	2 loud	3 hear	
	B 1 sound - 소리	2 gray - 회색의, 잿빛의		
	3 lightning - 번개	4 after - ~ 후에		
	C 1 started	2 heard	3 watched	

Check Up

1 밖에서 놀던 Anna와 Jack이 비가 올 것 같아 집에 들어가자, 번개와 천둥이 치는 날씨로 바뀌었다는 내용이므로 정답은 ③이다.

2 (a) Anna가 집 안으로 Jack을 데려오고, 곧 번개와 천둥을 동반한 비가 내리기 시작했다고(So Anna took Jack inside the house. Soon it started raining, with lightning and thunder.) 했으므로 글의 내용과 틀리다.

(b) 하늘이 회색 구름으로 어두워졌다고(The sky became dark with gray clouds.) 했으므로 글의 내용과 맞다.

3 두 사람은 보드 게임이 끝난 후에 하늘을 지켜보았다고(After the game, they watched the sky.) 했으므로 정답은 ②이다.

4 하늘은 회색 구름으로 ⓐ 어두워졌다. ⓑ 폭풍우가 오고 있었다.

Build Up

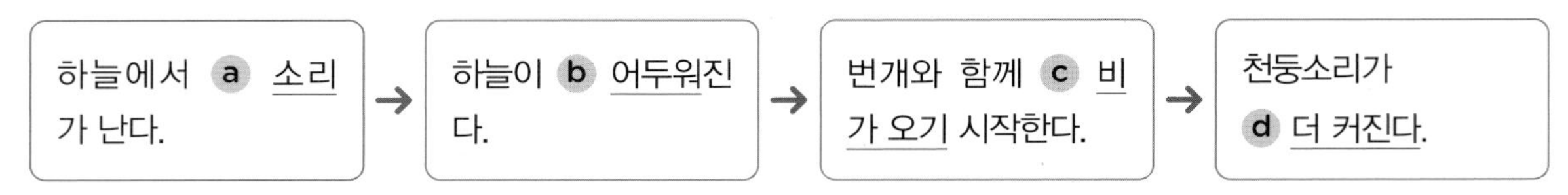

하늘에서 a 소리가 난다.
하늘이 b 어두워진다.
번개와 함께 c 비가 오기 시작한다.
천둥소리가 d 더 커진다.

Sum Up

❹ Anna와 Jack은 밖에서 놀고 있었다.	→	❸ 하늘은 회색 구름으로 어두워졌다. Anna는 Jack을 집 안으로 데리고 갔다.	→
❷ Anna와 Jack이 보드 게임을 했고, 천둥소리는 더 커졌다.	→	❶ Anna와 Jack은 하늘을 지켜보았다. 하늘은 몇 분마다 하얗게 되었다.	

끊어서 읽기

어느 날, / Anna와 Jack은 놀고 있었다 / 밖에서. 그들은 소리를 들었다 / 하늘에서.
[1]One day, / Anna and Jack were playing / outside. [2]They heard a sound / from

하늘은 어두워졌다 / 회색 구름으로. 폭풍우가 오고 있었다.
the sky. [3]The sky became dark / with gray clouds. [4]A storm was coming.

그래서 Anna는 Jack을 데리고 갔다 / 집 안으로.
[5]So Anna took Jack / inside the house.

곧 / 비가 오기 시작했다, / 번개와 천둥과 함께. Anna와 Jack은 결심했다 /
[6]Soon / it started raining, / with lightning and thunder. [7]Anna and Jack decided /

보드 게임을 하기로. 그들이 게임을 하고 있을 때, // 천둥소리가 더 커졌다.
to play a board game. [8]When they were playing the game, // the thunder became

게임이 끝난 후에, / 그들은 하늘을 지켜보았다. 하늘은 하얗게 되었다 /
louder. [9]After the game, / they watched the sky. [10]The sky became white / with

번개로 / 몇 분마다.
lightning / every few minutes.

우리말 해석

날씨 변화

[1]어느 날, Anna와 Jack은 밖에서 놀고 있었습니다. [2]그들은 하늘에서 소리를 들었어요. [3]하늘은 회색 구름으로 어두워졌죠. [4]폭풍우가 오고 있었습니다. [5]그래서 Anna는 Jack을 집 안으로 데려갔습니다.
[6]곧 번개와 천둥을 동반하여 비가 오기 시작했습니다. [7]Anna와 Jack은 보드 게임을 하기로 했어요. [8]그들이 게임을 하고 있을 때, 천둥소리가 더 커졌습니다. [9]게임이 끝난 후에, 그들은 하늘을 지켜보았습니다. [10]하늘은 몇 분마다 번개로 하얗게 되었답니다.

주요 문장 분석하기

[1]One day, Anna and Jack **were playing** outside.
(Anna and Jack: 주어 / were playing: 동사)

→ 「was[were]+동사원형+-ing」의 형태는 '~하고 있었다'라는 의미로, 과거의 어느 시점에 진행 중인 동작을 말할

때 사용하는 과거진행형이다.

[9]The sky **became** *dark* with gray clouds. [8]~, the thunder **became** *louder*.
[10]The sky **became** *white* with lightning every few minutes.
→ 「become[became]+형용사」는 '~해지다[해졌다]'라는 의미이다.

02 Powerful Lightning

pp.54 ~ 57

p. 55 Check Up	1 ② 2 (a) × (b) × 3 ③ 4 ⓐ: lightning ⓑ: use
p. 56 Build Up	1 (D) 2 (A) 3 (B) 4 (C)
p. 56 Sum Up	a about b hammer c powerful d eyes
p. 57 Look Up	A 1 test 2 fly 3 hammer B 1 powerful - 강한 2 only - 오직 ~만 3 uncle - 삼촌 4 about - ~에 대한 C 1 flew 2 control 3 test

Check Up

1 바이킹 이야기, 그리스 이야기, 북미 원주민 이야기에 나오는 번개에 대한 전설을 다룬 내용이므로, 정답은 ②이다.

2 (a) 번개 실험 전에, 사람들은 과학적으로 번개에 대해 알지 못했다고(But before the test, people didn't know about lightning scientifically.) 했으므로 글의 내용과 틀리다.
(b) 북미 원주민 부족의 이야기에서 번개는 새로부터 나온다고(In another story from a Native American tribe, lightning came from a bird.) 했으므로 글의 내용과 틀리다.

3 Franklin의 번개 실험에서는 연과 열쇠가 사용되었으며, 바이킹과 그리스 이야기에서는 Thor와 Zeus가 번개를 사용했다고 했다. 북미 원주민 이야기에서는 새가 눈을 번쩍거릴 때 번개를 만들어 낸다고 했지만, 그 새의 종류에 대한 내용은 없으므로 정답은 ③이다.

4 ⓐ 번개에 대한 옛날이야기에서, 오직 신들과 강한 동물들만이 그것을 ⓑ 사용할 수 있었다.

Build Up

번개와 관련된 인물들에 대해 설명하는 문장을 연결해 본다.

❶ Benjamin Franklin은 — (D) 그의 연과 열쇠로 번개에 대한 실험을 했다.

❷ Thor는 — (A) 그의 망치로 번개와 천둥을 지배했다.

❸ Zeus는	(B) 번개로 인해 신들의 왕이 되었다.
❹ 북미 원주민은	(C) 번개를 가진 새에 대한 이야기를 전했다.

Sum Up

ⓐ 번개에 대해 많은 이야기가 있었다. 바이킹 이야기에서, Thor는 그의 ⓑ 망치를 사용하면서 번개를 지배했다. 그리스 이야기에서, Zeus는 그의 삼촌들로부터 번개를 받았다. 다른 이야기들에선 ⓒ 강한 동물들이 번개를 사용했다. 한 이야기에서는 새가 ⓓ 눈을 번쩍거릴 때, 번개를 만들어 냈다.

끊어서 읽기

Benjamin Franklin은 실험을 했다 / 번개에 관한 / 그의 연과 열쇠로. 하지만
[1]Benjamin Franklin did a test / on lightning / with his kite and key. [2]But before

그 실험 전에, / 사람들은 알지 못했다 / 과학적으로 번개에 대해. 그래서 ~가 있었다
the test, / people didn't know / about lightning scientifically. [3]So there were

/ 그것에 대한 많은 이야기들. 그 옛날이야기들에서는, / 오직 신들과 강한 동물들만이
/ many stories about it. [4]In those old stories, / only gods and powerful animals

/ 번개를 사용할 수 있었다.
/ could use lightning.

바이킹 이야기에서, / Thor는 망치를 가지고 있었다. 그는 번개와 천둥을 지배했다 /
[5]In Viking stories, / Thor had a hammer. [6]He controlled lightning and thunder /

그것으로. 그리스 이야기에서, / Zeus는 번개를 받았다 / 그의 삼촌들로부터. 그는 ~가 되었다 /
with it. [7]In Greek stories, / Zeus got lightning / from his uncles. [8]He became /

신들의 왕이 / 그것 때문에. 또 다른 이야기에서 / 북미 원주민 부족에서 나온,
the king of the gods / because of it. [9]In another story / from a Native American

/ 번개는 새로부터 나왔다. 새가 자신의 눈을 번쩍일 때, //
tribe, / lightning came from a bird. [10]When the bird flashed its eyes, //

그것이 번개를 만들어 냈다. 그러고 나서 새는 날아서 천둥을 만들어 냈다.
it created lightning. [11]Then the bird flew and created thunder.

우리말 해석

강력한 번개

[1]Benjamin Franklin은 연과 열쇠로 번개에 관한 실험을 했습니다. [2]하지만 그 실험 전에, 사람들은 과학적으로 번개에 대해 알지 못했어요. [3]그래서 그것에 대한 많은 이야기들이 있었지요. [4]그 옛날이야기들에서는, 오직 신들과 강한

동물들만 번개를 사용할 수 있었어요.

[5]바이킹 이야기에서, Thor는 망치를 가지고 있었습니다. [6]그는 그것으로 번개와 천둥을 지배했어요. [7]그리스 신화에서, Zeus는 삼촌들로부터 번개를 받았습니다. [8]그는 그것으로 인해 신들의 왕이 되었어요. [9]북미 원주민 부족으로부터 나온 또 다른 이야기에서는, 번개는 새로부터 나왔습니다. [10]새가 눈을 번쩍일 때, 그것이 번개를 만들어 냈어요. [11]그리고 나서 새는 날아서 천둥을 만들어 냈답니다.

주요 문장 분석하기

[3]So **there were** *many stories* [about it].

→ 「there was[were]+명사」는 '~가 있었다'라는 뜻이다. 이때 명사가 단수이면 was를, 복수이면 were를 쓴다.

→ about it은 many stories를 뒤에서 꾸며준다.

[8]He **became** the king of the gods ***because of*** it.
주어 동사 보어

→ 「become[became]+명사」는 '~가 되다[되었다]'라고 해석한다.

→ the king of gods는 주어 He를 보충 설명한다.

→ 「because of+명사」는 '~ 때문에'라는 의미이다.

[9]In *another story* [from a Native American tribe], lightning came from a bird.

→ from a Native American tribe는 another story를 뒤에서 꾸며준다.

03 Dangerous Lightning

pp.58 ~ 61

p. 59 Check Up	1 ② 2 ② 3 ③	4 Brandon and his friends		
	5 ⓐ: fell ⓑ: memories			
p. 60 Build Up	2 → 3 → 1 → 4			
p. 60 Sum Up	ⓐ weather	ⓑ struck	ⓒ fell	ⓓ hurt
p. 61 Look Up	A 1 fall	2 weather	3 fish	
	B 1 survive - ~에서 살아남다	2 lucky - 운이 좋은		
	3 ground - 땅	4 leave - 떠나다		
	C 1 weather	2 memories	3 near	

Check Up

1 친구들과 낚시하러 간 Brandon이 갑작스럽게 근처에 내리친 번개 때문에 그날의 기억을 잃었던 이야기이므로 정답은 ②이다.

2 Brandon은 토요일에 친구들과 낚시하고 있었고(On Saturday, Brandon was fishing with his friends.), 그 후 번개의 충격으로 다쳐서, 그날의 모든 기억을 잃었다고(Because of the shock from the lightning, Brandon ~ lost all memories of that day.) 했다. 그가 친구들에게 곧 비가 올 것이니, 집으로 가자고 말했으므로(Let's go home. It will start raining soon.), 글의 내용과 틀린 것은 ②이다.

3 빈칸 앞에서 다른 사람들이 다쳤다고 했는데, 빈칸 뒤에서는 그들이 괜찮았다고 했으므로, 반대의 의미를 나타내는 접속사 but이 빈칸에 알맞다.
① 그리고 ② 그래서 ③ 그러나

4 벼락에서 살아남은 '그들 모두'는 Brandon과 그의 친구들을 가리킨다.

5 Brandon은 땅으로 ⓐ 넘어졌고, 그날의 모든 ⓑ 기억을 잃었다.

Build Up

Brandon과 친구들이 낚시하러 간 날에 날씨 변화에 따른 사건의 순서를 배열해 본다.

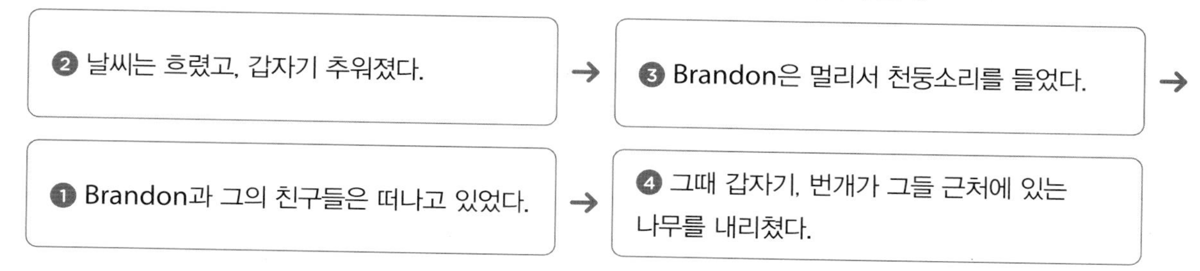

❷ 날씨는 흐렸고, 갑자기 추워졌다.
❸ Brandon은 멀리서 천둥소리를 들었다.
❶ Brandon과 그의 친구들은 떠나고 있었다.
❹ 그때 갑자기, 번개가 그들 근처에 있는 나무를 내리쳤다.

Sum Up

토요일에, Brandon은 친구들과 낚시하고 있었다. 그러나 나중에, 흐린 a 날씨 때문에 그들은 모두 떠나고 있었다. 그때 갑자기, 번개가 한 나무를 b 내리쳤고, Brandon이 땅으로 c 넘어졌다. 그는 그날의 모든 기억을 잃었다. 그의 친구들 또한 d 다쳤지만, 그들은 괜찮았다. 그들은 운이 좋았다고 느꼈다.

끊어서 읽기

토요일에, / Brandon은 낚시하고 있었다 / 그의 친구들과. 날씨는 조금 구름이 꼈다.
[1]On Saturday, / Brandon was fishing / with his friends. [2]The weather was a little

갑자기, / (날씨가) 추워졌다. Brandon은 천둥소리를 들었다 / 멀리서.
cloudy. [3]Suddenly, / it became cold. [4]Brandon heard thunder / from a distance.

그는 그의 친구들에게 말했다. // "집에 가자. 곧 비가 내리기 시작할 거야."
[5]He told his friends, // "Let's go home. [6]It will start raining soon."

Brandon과 그의 친구들은 / 떠나고 있었다. 그때 갑자기, / 번개가 나무에 내리쳤다
[7]Brandon and his friends / were leaving. [8]Then suddenly, / lightning struck

/ 그들 근처에 있는. 그 충격 때문에 / 번개에서 나온 / Brandon은 넘어졌다 /
a tree / near them. [9]Because of the shock / from the lightning, / Brandon fell /

땅으로. 그는 잃었다 / 모든 기억을 / 그날의. 다른 사람들 또한 다쳤다, //
to the ground. [10]He lost / all memories / of that day. [11]Others were also hurt, //

하지만 그들은 괜찮았다. 모두가 운이 좋다고 느꼈다 // 그들 모두가 살아남았기 때문이다 /
but they were okay. [12]Everyone felt lucky // because all of them survived /

벼락에서!
the lightning strike!

우리말 해석

위험한 번개

[1]토요일에, Brandon은 친구들과 낚시하고 있었어요. [2]날씨는 조금 흐렸습니다. [3]갑자기 추워졌어요. [4]Brandon은 멀리서 천둥소리를 들었습니다. [5]그는 친구들에게 "집에 가자. [6]곧 비가 내리기 시작할 거야."라고 말했습니다. [7]Brandon과 그의 친구들은 떠나던 중이었습니다. [8]그때 갑자기, 번개가 그들 근처의 나무에 내리쳤어요. [9]그 번개에서 온 충격으로, Brandon은 땅으로 넘어졌습니다. [10]그는 그날의 모든 기억을 잃어버렸어요. [11]다른 사람들도 다쳤지만, 그들은 괜찮았습니다. [12]모두가 벼락에서 살아남았기 때문에 운이 좋다고 느꼈습니다.

주요 문장 분석하기

[6]**It** *will* start *raining* soon.
주어 동사 목적어

→ 여기서 It은 '그것'을 의미하는 대명사가 아니라 날씨를 나타낼 때 쓰이는 비인칭 주어이다.
→ will은 '~할 것이다'라는 의미로 미래를 나타내는 표현이다.
→ raining은 '비가 오는 것'으로 해석하며, 동사 will start의 목적어이다.

[7]Brandon and his friends **were leaving**.
주어 동사

→ 「was[were]+동사원형+-ing」의 형태로 '~하고 있었다, ~하고 있던 중이었다'의 의미의 과거진행형이다.

[10]He lost ***all memories*** [of that day].
주어 동사 목적어

→ of that day는 앞에 있는 all memories를 뒤에서 꾸며준다.

04 Airplanes and Lightning

pp.62 ~ 65

p. 63 **Check Up**	1 ③ 2 (a) ○ (b) × 3 ③ 4 ① 5 ⓐ: hits ⓑ: nothing
p. 64 **Build Up**	a enters b travels c outside d tail
p. 64 **Sum Up**	a hits b make c sends d protects e worry
p. 65 **Look Up**	A 1 enter 2 hit 3 afraid B 1 happen - 발생하다 2 worry - 걱정하다 3 protect - 보호하다 4 nothing - 아무것도 ~ 아니다 C 1 send 2 safe 3 enter

Check Up

1 비행기가 번개를 맞아도 비행기 안에서는 아무 일도 일어나지 않는 이유에 대해 설명하는 글이므로 정답은 ③이다.

2 (a) 번개는 비행기의 앞부분으로 들어가서(Lightning enters the nose of the plane.) 겉면을 통해 이동하여 꼬리 부분에서 빠져나온다고 했으므로 글의 내용과 맞다.

(b) 알루미늄은 번개를 공중으로 보낸다고(The aluminum sends lightning into the air.) 했으므로, 글의 내용과 틀리다.

3 ⓐ와 ⓑ는 lightning을 가리키며, 엔진과 연료 탱크를 보호하는 것은 aluminum(알루미늄)이므로 정답은 ③이다.

4 빈칸 앞 문장에서는 번개가 비행기에 내리칠 때 두려워하지 말라는 내용이 등장하므로 빈칸을 포함한 문장은 비행기 안에서는 '안전하다'는 내용이어야 자연스럽다.

① 안전한 ② 시끄러운 ③ 운이 좋은

5 번개가 비행기에 ⓐ 내리칠 때, 그 비행기 안에서는 ⓑ 아무 일도 일어나지 않는다.

Build Up

번개가 비행기에 내리칠 때, 번개가 비행기에서 이동하여 공중으로 나가는 과정을 정리해 본다.

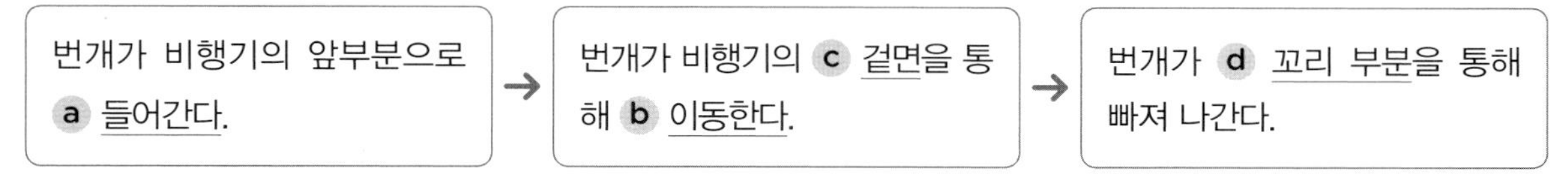

번개가 비행기의 앞부분으로 a 들어간다.
→
번개가 비행기의 c 겉면을 통해 b 이동한다.
→
번개가 d 꼬리 부분을 통해 빠져 나간다.

Sum Up

번개가 비행기에 a 내리칠 때, 비행기 안에서는 아무 일도 일어나지 않는다. 당신은 왜 비행기 안에서 안전한가? 사람들은 알루미늄으로 비행기를 b 만든다. 알루미늄은 공중으로 번개를 c 보낸다. 그것은 또한 엔진과 연료 탱크를 d 보호한다. 그래서 번개가 비행기에 내리칠 때, e 걱정하지 마라.

끊어서 읽기

번개가 비행기에 내리치는가? 그렇다. / 그것은 일어난다 / 매년. 하지만 걱정하지 마라 /
[1]Does lightning hit airplanes? [2]Yes, / it happens / every year. [3]But don't worry /

그것에 대해. 아무 일도 일어나지 않는다 / 비행기 안에서.
about it. [4]Nothing happens / inside the airplane.

당신은 왜 안전한가 / 비행기 안에서? 번개가 들어간다 / 비행기의 앞부분에.
[5]Why are you safe / in the airplane? [6]Lightning enters / the nose of the plane.

그것은 이동한다 / 비행기의 겉면을 통해. 그 다음 그것은 빠져나간다 / 꼬리 부분을 통해.
[7]It travels / through the outside of the plane. [8]Then it goes out / through the tail.

오늘날에, / 사람들은 비행기를 만든다 / 알루미늄으로. 알루미늄은 번개를 보낸다
[9]Today, / people make airplanes / with aluminum. [10]The aluminum sends

/ 공중으로. 그것은 또한 보호한다 / 엔진과 연료 탱크를. 그러므로
lightning / into the air. [11]It also protects / the engine and fuel tank. [12]So don't be

두려워하지 마라 // 번개가 비행기에 내리칠 때. 당신은 안전하다 / 그 안에서.
afraid // when lightning hits an airplane. [13]You are safe / in it.

우리말 해석

비행기와 번개

[1]번개가 비행기에 내리치나요? [2]맞아요, 그것은 매년 일어납니다. [3]하지만 그것에 대해 걱정하지 마세요. [4]비행기 안에서는 아무 일도 일어나지 않는답니다.

[5]왜 비행기 안에서는 안전할까요? [6]번개는 비행기의 앞부분에 들어갑니다. [7]그것은 비행기 겉면을 거쳐서 이동해요. [8]그 다음 번개는 (비행기의) 꼬리 부분을 통해 빠져나갑니다. [9]오늘날에, 사람들은 알루미늄으로 비행기를 만들어요. [10]알루미늄은 번개를 공중으로 보낸답니다. [11]그것은 또한 엔진과 연료 탱크를 보호해줘요. [12]그러므로 번개가 비행기에 내리칠 때 두려워하지 마세요. [13]여러분은 그 안에서 안전하니까요.

주요 문장 분석하기

[5]**Why** are you safe in the airplane?
(are: 동사 / you: 주어 / safe: 보어)

→ Why는 '왜'라는 의미로 이유를 묻는 의문사이다.

→ be동사 의문문에서는 be동사 are가 주어 앞으로 이동한다.

[12]So **don't be** afraid when lightning hits an airplane.
(don't be: 동사 / afraid: 보어 / lightning: 주어' / hits: 동사' / an airplane: 목적어')

→ 「Don't+동사원형」은 '~하지 마라'라는 의미를 나타내는 부정 명령문이다.

Dessert

01 Grandmother's Secret

pp.68 ~ 71

p. 69 Check Up	1 ②	2 ②	3 (a) O (b) O	4 ①	5 ⓐ: best ⓑ: bake
p. 70 Build Up	1 (B)	2 (A)	3 (C)	4 (D) / 1 → 4 → 2 → 3	
p. 70 Sum Up	a secret	b delicious	c fresh	d friends	
p. 71 Look Up	A 1 letter	2 bake	3 mix		
	B 1 another - 또 하나의	2 fresh - 신선한			
	3 early - 일찍	4 get - (장소에) 도착하다			
	C 1 bake	2 letter	3 write		

Check Up

1 할머니가 Jenny에게 답장했다는 내용과(And Jenny's grandmother writes Jenny back.) 이어지는 글의 시작말로 '제니에게(Dear Jenny)', 끝맺는 말로 'Warm wishes(행운을 빌며)'가 등장하므로, 정답은 ②이다.

2 Jenny는 할머니처럼 사과 파이를 만들고 싶어서(Jenny wants to bake like her grandmother.) 할머니의 조리법을 배우기 위해 편지를 썼다.

3 (a) 할머니는 농산물 직거래 시장에 아침 일찍 도착하라고 했으며, 그러면 가장 신선한 사과와 달걀, 그리고 버터를 찾을 것이라고(Get there early in the morning. Then you will find the freshest apples, eggs, and butter.) 했으므로 글의 내용과 맞다.

(b) 집에서 사과를 자르고 모든 재료를 섞은 뒤에, 설탕을 더하고, 그 파이를 구우라고(~ and mix everything. Add some sugar and bake the pie.) 했으므로 글의 내용과 맞다.

4 빈칸 뒤에 이어지는 내용은 '그러나 맛있는 것(사과 파이)을 만드는 것은 쉽지 않다.'라고 했으며, 반대를 나타내는 접속사 but(그러나)이 등장한다. 따라서 빈칸을 포함한 문장에서는 '사과 파이를 만드는 것은 쉽다'라는 내용이어야 흐름상 자연스럽다.

① 쉬운 ② 신선한 ③ 최고인

5 Jenny의 할머니가 만든 사과 파이는 ⓐ 최고이다. 그래서 Jenny는 할머니처럼 파이를 ⓑ 만들고 싶어 한다.

Build Up

할머니가 알려준 맛있는 사과 파이 조리법을 순서대로 정리해 본다.

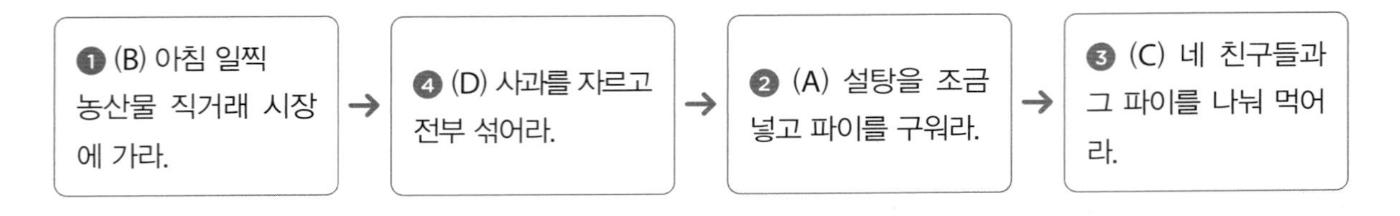

❶ (B) 아침 일찍 농산물 직거래 시장에 가라.
→
❹ (D) 사과를 자르고 전부 섞어라.
→
❷ (A) 설탕을 조금 넣고 파이를 구워라.
→
❸ (C) 네 친구들과 그 파이를 나눠 먹어라.

Sum Up

Jenny는 할머니처럼 파이를 만들고 싶다. 그녀는 할머니에게 편지를 쓴다. 그녀의 할머니는 그녀에게 답장을 쓴다. 할머니의 편지는 자신의 ⓑ 맛있는 사과 파이의 ⓐ 비결을 알려준다. 먼저, 농산물 직거래 시장에서 온 ⓒ 신선한 사과를 사용해라. 두 번째로, ⓓ 친구들과 파이를 나눠 먹어라.

끊어서 읽기

Jenny는 편지를 쓴다 / 그녀의 할머니에게. Jenny는 파이를 만들고 싶다 / 그녀의
[1]Jenny writes a letter / to her grandmother. [2]Jenny wants to bake / like her

할머니처럼. 그녀의 할머니의 사과 파이는 / 최고이다. 그리고 Jenny의
grandmother. [3]Her grandmother's apple pie / is the best. [4]And Jenny's

할머니가 Jenny에게 답장을 쓰신다.
grandmother writes Jenny back.

Jenny에게,
[5]Dear Jenny,

사과 파이를 만드는 것은 / 쉽다. 하지만 맛있는 것을 만드는 것은 / 쉽지 않다.
[6]Making an apple pie / is easy. [7]But making a delicious one / isn't easy.

농산물 직거래 시장으로 가라. 그곳에 일찍 도착해라 / 아침에. 그러면 너는 찾을 것이다
[8]Go to a farmers' market. [9]Get there early / in the morning. [10]Then you will

/ 가장 신선한 사과와 달걀, 그리고 버터를. 집에서, / 사과를 자르라 // 그리고
find / the freshest apples, eggs, and butter. [11]At home, / cut the apples // and

전부 섞어라. 설탕을 조금 더해라 // 그리고 파이를 구워라. 또 하나의 비결 /
mix everything. [12]Add some sugar // and bake the pie. [13]Another secret / to

맛있는 파이의? 그 파이를 나눠라 / 네 친구들과.
a delicious pie? [14]Share the pie / with your friends.

행운을 빌며,
[15]Warm wishes,

할머니가
Grandma

우리말 해석

할머니의 비결

[1]Jenny는 할머니에게 편지를 써요. [2]Jenny는 할머니처럼 파이를 만들고 싶거든요. [3]할머니의 사과 파이는 최고예요. [4]그리고 Jenny의 할머니가 Jenny에게 답장을 쓰십니다.

[5]Jenny에게,

[6]사과 파이를 만드는 것은 쉽지. [7]하지만 맛있는 사과 파이를 만드는 것은 쉽지 않단다. [8]농산물 직거래 시장으로 가렴. [9]아침 일찍 그곳에 도착해야 해. [10]그러면 가장 신선한 사과와 달걀, 버터를 찾을 거야. [11]집에 와서, 사과를 자르고 전부 섞으렴. [12]설탕을 조금 넣고 파이를 구우면 돼. [13]맛있는 파이의 또 하나의 비결? [14]네 친구들과 그 파이를 나눠 먹어 보렴.

[15]행운을 빌며, 할머니가

주요 문장 분석하기

[2]Jenny wants **to bake *like*** her grandmother.
(Jenny: 주어 / wants: 동사 / to bake like her grandmother: 목적어)

→ to bake는 '파이를 만드는 것'이라 해석하며, to bake like her grandmother는 동사 wants의 목적어이다.
→ 여기서 like는 '~처럼'이라는 의미의 전치사이다.

[7]But **making a delicious *one*** isn't easy.
(making a delicious one: 주어 / isn't: 동사 / easy: 보어)

→ making a delicious one은 문장의 주어이며, making은 '만드는 것'이라 해석한다.
→ 「동사원형+-ing」 형태가 주어일 때는 단수 형태의 동사가 온다.
→ one은 앞에서 언급된 사물을 가리키는 대명사이며, 앞 문장의 an apple pie를 가리킨다.

02 Sweet Food

pp.72 ~ 75

p. 73 **Check Up**	1 ③	2 ③	3 (a) ○ (b) ○	4 ②	5 ⓐ: old ⓑ: different	
p. 74 **Build Up**	a Sugar	b rich	c price	d dish		
p. 74 **Sum Up**	a honey	b changes	c expensive	d sweet	e enjoy	

p. 75 **Look Up**

A 1 dish　2 expensive　3 enjoy
B 1 rich - 부유한　2 nut - 견과　3 kind - 종류　4 price - 가격
C 1 enjoy　2 expensive　3 change

Check Up

1 최초의 디저트와 설탕이 불러온 디저트의 변화에 대해 설명하고 있으므로 정답은 ③이다.

2 중세 시대에 커스터드가 최초의 디저트였다고(In the Middle Ages, custard was the first dessert.) 했다.

3 (a) 설탕이 등장하기 전의 디저트는 꿀로 뒤덮인 과일과 견과류였다고(At first, it was fruit and nuts with honey.) 했으므로 글의 내용과 맞다.
(b) 처음에 설탕이 비싸서 부유한 사람들만 달콤한 음식을 먹을 수 있었다고(Sugar was expensive. Only rich people could have sweet food.) 했으므로 글의 내용과 맞다.

4 빈칸 앞에서는 설탕 값이 비쌌을 때의 상황이 등장하고 빈칸 뒤에서는 설탕 값이 내려서 생긴 변화를 말하고 있으므로 빈칸에는 반대를 나타내는 접속사 but이 와야 자연스럽다.
① 그래서 ② 그러나 ③ 그리고

5 ⓐ 옛날의 디저트는 오늘날의 디저트와 ⓑ 달랐다.

Build Up

설탕이 불러온 디저트 변화에 대한 원인과 결과를 정리해 본다.

원인	결과
a 설탕이 나왔다.	디저트에 많은 변화가 있었다.
설탕이 비쌌다.	오직 b 부유한 사람들만 달콤한 음식을 먹을 수 있었다.
설탕의 c 가격은 내려갔다.	사람들은 모든 d 요리에 설탕을 사용했다.

Sum Up

처음에, 디저트는 a 꿀로 뒤덮인 과일과 견과류였다. 그 후에 설탕이 디저트에 많은 b 변화를 가져왔다. 그러나 처음에 설탕은 c 비쌌다. 몇몇 사람들만이 d 달콤한 음식을 먹을 수 있었다. 나중에, 설탕은 더 저렴해졌다. 더 많은 사람들이 달콤한 케이크와 푸딩을 e 즐길 수 있었다.

끊어서 읽기

~가 있다 / 많은 종류의 디저트 / 오늘날에. 하지만 옛날의 디저트는 /
[1]There are / many kinds of desserts / today. [2]But dessert in the old days / was

~와 달랐다 / 오늘날의 디저트. 처음에, / 그것은 과일과 견과류였다 / 꿀로 뒤덮인.
different from / today's dessert. [3]At first, / it was fruit and nuts / with honey.

중세 시대에, / 커스터드가 최초의 디저트였다. 그 후 설탕이 나왔다, //
[4]In the Middle Ages, / custard was the first dessert. [5]Then sugar came along, //

그리고 많은 변화가 있었다.
and there were many changes.

설탕은 비쌌다. 오직 부유한 사람들만 먹을 수 있었다 / 달콤한 음식을. 그러나 나중에 /
[6]Sugar was expensive. [7]Only rich people could have / sweet food. [8]But later /

설탕의 가격이 / 내려갔다. 사람들은 그것을 사용하기 시작했다 / 모든 요리에. 그들은
the price of sugar / went down. [9]People started to use it / in every dish. [10]They

또한 만들었다 / 많은 디저트 요리책을. 더 많은 사람들은 즐길 수 있었다 / 달콤한 음식을 /
also made / many dessert cookbooks. [11]More people could enjoy / sweet food /

케이크나 푸딩 같은.
like cake and puddings.

우리말 해석

달콤한 음식

[1]오늘날에는 많은 종류의 디저트가 있습니다. [2]하지만 옛날의 디저트는 오늘날의 디저트와는 달랐습니다. [3]처음에는, 디저트는 꿀로 뒤덮인 과일과 견과류였어요. [4]중세 시대엔 커스터드가 최초의 디저트였습니다. [5]그 후에 설탕이 나왔고, 많은 변화가 생겼어요.

[6]설탕은 비쌌습니다. [7]부유한 사람들만 달콤한 음식을 먹을 수 있었죠. [8]그런데 나중에 설탕 가격이 내려갔어요. [9]사람들은 모든 요리에 설탕을 사용하기 시작했습니다. [10]그들은 또한 많은 디저트 요리책도 만들었어요. [11]더 많은 사람들이 케이크나 푸딩 같은 달콤한 음식을 즐길 수 있게 되었습니다.

주요 문장 분석하기

[1]**There are** *many kinds of desserts* today.

→ 「There is[are]+명사」는 '~가 있다'라는 뜻이며, be동사 뒤에 단수명사가 오면 is, 복수명사가 오면 are를 사용한다. many kinds of desserts는 복수명사이므로 are가 쓰였다.

[2]But ***dessert*** [in the old days] **was** different from today's dessert.

(주어: dessert [in the old days] / 동사: was)

→ in the old days는 dessert를 뒤에서 꾸며준다.

→ 문장의 주어는 dessert이므로 단수형 동사 was가 쓰였다.

[9]People started **to use it** in every dish.

(주어: People / 동사: started / 목적어: to use it in every dish)

→ to use는 '사용하는 것'으로 해석하며 to use it in every dish는 동사 started의 목적어이다.

→ 「every+단수명사」는 '모든 ~'이라는 의미이다.

03 A Delicious Dessert! pp.76 ~ 79

p. 77 Check Up	1 ③ 2 (a) × (b) × 3 ③ 4 ② 5 ⓐ: delicious ⓑ: ways
p. 78 Build Up	a picked b branches c made d supermarket e kitchen
p. 78 Sum Up	a Wash b cream c Crush d cloth
p. 79 Look Up	A 1 wash 2 branch 3 stir B 1 way - 방식 2 crush - 짜다; 으깨다 3 result - 결과 4 pick - (과일 등을) 따다 C 1 bought 2 Wash 3 supermarket

Check Up

1 300년 전의 여자아이와 오늘날의 남자아이가 디저트 만드는 과정을 묘사하는 내용이며, 300년 전과 오늘날의 차이점을 비교하고 있으므로 정답은 ③이다.

2 (a) 300년 전의 여자아이는 우물로 가서 블루베리를 씻었다고(The girl went to a well and washed the berries.) 했으므로 글의 내용과 틀리다.

(b) 여자아이의 어머니가 천으로 블루베리를 짰다고(The girl's mother crushed the berries with a cloth.) 했으므로 글의 내용과 틀리다.

3 분쇄기를 사용한 사람은 남자아이의 아버지이므로(The boy's father crushed the berries with a blender.) 정답은 ③이다.

4 빈칸 앞에서는 그들은 다른 방식을 사용했다는 내용이며, 빈칸 뒤에서는 결과가 같다는 내용이므로 반대의 의미를 가진 접속사 but이 가장 알맞다.

① 그리고 ② 그러나 ③ 또는

5 여자아이와 남자아이는 ⓐ 맛있는 디저트를 다른 ⓑ 방식으로 만들었다.

Build Up

300년 전의 여자아이와 오늘날의 남자아이의 공통점과 차이점을 정리해 본다.

여자아이는	여자아이와 남자아이는	남자아이는
• 블루베리를 a 땄다. • 우물에서 그것을 씻었다. • 작은 b 나뭇가지를 사용했다. (차이점)	• 맛있는 디저트를 c 만들었다. (공통점)	• d 슈퍼마켓에서 블루베리를 샀다. • e 부엌에서 그것을 씻었다. • 핸드믹서를 사용했다. (차이점)

Sum Up

블루베리를 구하라.

우물이나 부엌에서 블루베리를 a 씻어라.

작은 나뭇가지들이나 핸드믹서로 b 크림을 휘저어라.

블루베리를 d 천이나 분쇄기로 c 짜거나 으깨라.

끊어서 읽기

300년 전에, / 한 여자아이가 블루베리를 땄다.
1 Three hundred years ago, / a girl picked blueberries.

어제, / 한 남자아이가 블루베리를 샀다 / 슈퍼마켓에서.
2 Yesterday, / a boy bought blueberries / at a supermarket.

그들 둘 다 디저트를 만들고 싶었다.
3 They both wanted to make a dessert.

여자아이는 우물에 갔다 / 그리고 그 블루베리를 씻었다.
4 The girl went to a well / and washed the berries.

남자아이는 그 블루베리를 씻었다 / 부엌에서.
5 The boy washed the berries / in the kitchen.

여자아이는 크림을 휘저었다 / 작은 나뭇가지들로.
6 The girl stirred the cream / with small branches.

남자아이는 크림을 휘저었다 / 핸드믹서로.
7 The boy stirred the cream / with a hand mixer.

그 여자아이의 어머니는 그 블루베리를 짰다 / 천으로.
8 The girl's mother crushed the berries / with a cloth.

그 남자아이의 아버지는 그 블루베리를 으깼다 / 분쇄기로.
9 The boy's father crushed the berries / with a blender.

그들은 다른 방식을 사용했다, // 그렇지만 결과는 같았다.
10 They used different ways, // but the results were the same.

맛있는 디저트!
11 A delicious dessert!

우리말 해석

맛있는 디저트!

[1]300년 전에, 한 여자아이가 블루베리를 땄습니다. [2]어제, 한 남자아이가 슈퍼마켓에서 블루베리를 샀습니다. [3]그들 둘 다 디저트를 만들고 싶었습니다.

[4]여자아이는 우물에 가서 그 블루베리를 씻었습니다. [5]남자아이는 부엌에서 그 블루베리를 씻었습니다.

[6]여자아이는 작은 나뭇가지들로 크림을 휘저었습니다. [7]남자아이는 핸드믹서로 크림을 휘저었습니다.

[8]그 여자아이의 어머니는 천으로 그 블루베리 즙을 짰습니다. [9]그 남자아이의 아버지는 분쇄기로 그 블루베리를 으깼습니다.

[10]그들은 다른 방식을 사용했지만 결과는 같았습니다. [11]맛있는 디저트!

주요 문장 분석하기

[6]The girl(주어) stirred(동사) the cream(목적어) **with** small branches.

→ 전치사 with가 '~로, ~을 이용하여'라는 의미로 쓰였다.

[10]Thy(주어1) used(동사1) different ways(목적어1), **but** the results(주어2) were(동사2) the same(보어2).

→ but은 '그러나'라는 의미로 반대되는 의미의 문장과 문장을 연결해주는 접속사이다.

04 Sweet Almond Cookies pp.80 ~ 83

p. 81 Check Up	1 ①	2 (a) × (b) ×	3 ②	4 ⓐ: almond	ⓑ: popular
p. 82 Build Up	ⓐ guests	ⓑ baked	ⓒ popular	ⓓ between	
p. 82 Sum Up	ⓐ inside	ⓑ cookie	ⓒ put	ⓓ colorful	
p. 83 Look Up	A 1 guest	2 colorful	3 soft		
	B 1 soon - 곧	2 sister - 수녀			
	3 outside - 바깥쪽	4 put - 놓다			
	C 1 popular	2 guests	3 between		

Check Up

1 겉은 바삭하고 안은 부드러운 이 디저트는 처음에는 쿠키의 모습이었으나, 시간이 지나면서 두 개의 쿠키를 사용하여, 그 사이에 잼과 향신료를 넣기 시작하였으며, 점차 다양한 색상과 속을 가지게 되었다고 하였으므로 가장 알맞은 그림은 ①이다.

2 (a) 이 디저트는 왕과 그의 손님들만을 위한 것이라고(Long ago, it was only for kings and their guests.) 했으므로 글의 내용과 틀리다.
(b) 수녀들이 아몬드 쿠키를 만들었지만(~ two sisters baked almond cookies.), 과자 사이에 잼과 향신료를 넣은 사람은 제빵사들이라고(At first, bakers put jams and spices between the cookies.) 했으므로 글의 내용과 틀리다.

3 글에 소개된 디저트의 특징으로 달고(sweet), 바삭하고(crunchy), 부드럽고(soft), 다채롭다(colorful)는 표현이 나오지만 작다는(small) 내용은 없었다.
① 바삭한 ② 작은 ③ 다채로운

4 두 명의 수녀들은 ⓐ 아몬드 쿠키를 구웠다. 그 쿠키들은 매우 ⓑ 인기가 많아졌다.

Build Up

글에 등장하는 '이 디저트'의 역사를 시간 순으로 정리해 본다.

오래 전에 – 그 디저트는 오직 왕들과 그들의 a 손님들만을 위한 것이었다.
1792년에 – 두 명의 수녀들이 아몬드 쿠키를 b 구웠고, 이 쿠키는 c 인기가 많아졌다.
1830년대에 – 사람들은 두 개의 아몬드 쿠키를 샌드위치 케이크처럼 사용하기 시작했다.
그들은 그 쿠키 d 사이에 잼과 향신료를 넣었다.

Sum Up

많은 사람들은 이 디저트를 매우 좋아한다. 그것은 겉이 바삭하지만 a 안은 부드럽다. 처음에, 이 디저트는 지금과 달라 보였다. 그것은 아몬드 b 쿠키였다. 그 후에 사람들은 두 개의 쿠키 사이에 잼과 향신료를 c 넣었다. 이내, 그 쿠키들은 d 다채로워졌고 버터크림과 초콜릿크림과 같은 다양한 속을 가지게 되었다.

끊어서 읽기

이 달콤한 디저트는 바삭하다 / 바깥쪽은 / 그리고 안은 부드럽다. 오래 전에,
[1]This sweet dessert is crunchy / on the outside / and soft on the inside. [2]Long

/ 그것은 오직 ~이었다 / 왕들과 그들의 손님들만을 위한. 그러나 1792년에, / 두 수녀가 시작했다 /
ago, / it was only / for kings and their guests. [3]But in 1792, / two sisters started /

아몬드 쿠키 만드는 것을. 이 쿠키는 매우 인기가 많아졌다. 그때부터, /
to bake almond cookies. [4]These cookies became really popular. [5]From then, /

점점 더 많은 사람들이 이 디저트를 즐겼다.
more and more people enjoyed this dessert.

1830년대에, / 몇몇 사람들은 시작했다 / 두 개의 아몬드 쿠키를 사용하기를 / 샌드위치 케이크처럼.
[6]In the 1830s, / some people started / using two almond cookies / as a sandwich.

처음에는, / 제빵사들은 잼과 향신료를 넣었다 / 쿠키 사이에. 그 아몬드
[7]At first, / bakers put jams and spices / between the cookies. [8]The almond

쿠키들은 이내 다채로워졌다. 그것들은 또한 가졌다 / 다양한 속을 /
cookies soon became colorful. [9]They also had / different fillings / like

버터크림이나 초콜릿크림과 같은.
buttercream and chocolate cream.

우리말 해석

달콤한 아몬드 쿠키

[1]이 달콤한 디저트는 겉은 바삭하고 안은 부드러워요. [2]오래 전에, 그것은 오직 왕들과 그들의 손님들만을 위한 것이었어요. [3]그러나 1792년에, 두 수녀가 아몬드 쿠키를 만들기 시작했어요. [4]이 쿠키는 매우 인기가 많아졌답니다. [5]그때부터, 점점 더 많은 사람들이 이 디저트를 즐겼어요.

[6]1830년대에, 몇몇 사람들이 두 개의 아몬드 쿠키를 샌드위치 케이크처럼 사용하기 시작했어요. [7]처음에는 제빵사들이 쿠키 사이에 잼과 향신료를 넣었지요. [8]그 아몬드 쿠키들은 이내 다양한 색을 띠게 되었어요. [9]또한 그 쿠키들은 버터크림이나 초콜릿크림과 같은 다양한 속을 가지게 되었답니다.

주요 문장 분석하기

[1]This sweet dessert is crunchy on the outside **and** soft on the inside.
주어 / 동사 / 보어1 / 보어2

→ and로 보어 crunchy on the outside와 soft on the inside가 연결되었다.

[6]In the 1830s, some people started **using** two almond cookies **as** a sandwich.
주어 / 동사 / 목적어

→ 「start[started]+동사원형+-ing」의 형태로 '~하기 시작하다[시작했다]'라는 의미이다.

→ 「use A as B」는 'A를 B로 사용하다'라는 의미이다.

[9]They also had *different fillings* [**like** buttercream and chocolate cream].
주어 / 동사 / 목적어

→ like buttercream and chocolate cream은 different fillings를 뒤에서 꾸며준다.

→ like는 '(예를 들어) ~와 같은'이라는 의미의 전치사이다.

Poison

01 Dangerous Poison

pp.86 ~ 89

p. 87 Check Up	1 poisons	2 ②	3 (a) O (b) O	4 ②	5 ③
p. 88 Build Up	1 (C)	2 (A)	3 (B)		
p. 88 Sum Up	a poisons	b hunted	c enemies	d illnesses	
p. 89 Look Up	A 1 poison	2 enemy	3 put on		
	B 1 plant - 식물	2 poisonous - 독이 있는			
	3 nature - 자연	4 dangerous - 위험한			
	C 1 enemies	2 hunt	3 ways		

Check Up

1 글에 가장 자주 등장한 단어는 poisons(독)이다.

인간	방법들	독	뱀	약

2 사람들이 자연의 독을 사용하기 시작한 이래로 여러 세기를 거치면서 다양한 용도로 독을 사용했다는 내용이므로 정답은 ②이다.

3 (a) 오래 전 사람들은 자연의 독을 사용했다고(A long time ago, humans used nature's poisons.) 했으므로 글의 내용과 맞다.

(b) 사람들은 일상생활에서 독을 사용하기 시작했고, 그 예시로 몇몇 사람들이 병을 치료하기 위해 독초를 사용했다는(Some used poisonous plants for curing illnesses.) 내용이 등장하므로 글의 내용과 맞다.

4 오래 전 사람들은 동물을 사냥할 때 뱀독을 사용했었다고(They used snake poisons when they hunted animals.) 했으며, 여자들은 화장하기 위해 독성이 있는 가루를 발랐다고(Women also put on poisonous powder for makeup.) 했다. 하지만 독으로 왕들을 살린다는 내용은 없었으므로 정답은 ②이다.

5 빈칸 다음 문장에서 많은 왕들 또한 독으로 인해 죽었다고 했으므로 빈칸에는 독으로 그들의 적들을 '죽였다'는 말이 와야 자연스럽다.

① 좋아했다 ② 지켜봤다 ③ 죽였다

Build Up

❶ 사람들은 뱀독을 사용했다	❷ 많은 왕들은 죽었다	❸ 몇몇 사람들은 독이 있는 식물을 사용했다
(C) 동물을 사냥할 때.	(A) 독으로 인해.	(B) 병을 치료하기 위해.

Sum Up

사람들은 많은 방법으로 ⓐ 독을 사용했다. 첫째, 그들은 동물을 ⓑ 사냥할 때 뱀독을 사용하였다. 둘째, 많은 왕들이 독으로 그들의 ⓒ 적들을 죽였다. 셋째, 사람들은 ⓓ 병을 치료하기 위해 독이 있는 식물을 사용하고 화장하기 위해 독이 있는 가루를 사용했다.

끊어서 읽기

오래 전에, / 사람들은 사용했다 / 자연의 독을. 그들은 사용했다 / 뱀독을
[1]A long time ago, / humans used / nature's poisons. [2]They used / snake poisons

// 그들이 동물을 사냥할 때. 그러고 나서 그들은 발견했다 / 더 많은 독을. 그리고 그들은 그것들을
// when they hunted animals. [3]Then they found / more poisons. [4]And they used

사용했다 / 다른 방법으로.
them / in other ways.

수 세기 동안, / 많은 왕들이 독을 사용했다, / 또한. 그들은 죽였다 / 그들의
[5]For many centuries, / many kings used poisons, / too. [6]They killed / their

적들을 / 그것으로. 많은 왕들은 / 또한 독으로 인해 죽었다.
enemies / with them. [7]Many kings / were also killed by poisons.

나중에, / 사람들은 시작했다 / 독을 사용하기 / 일상생활에서. 몇몇 사람들은 사용했다 / 독이
[8]Later, / people started / to use poisons / in daily life. [9]Some used / poisonous

있는 식물을 / 병을 치료하기 위해. 여자들은 또한 발랐다 / 독성이 있는 가루를 /
plants / for curing illnesses. [10]Women also put on / poisonous powder / for

화장하기 위해. 그 가루는 위험했다. 하지만 그들은 그것을 알지 못했다.
makeup. [11]The powder was dangerous. [12]But they didn't know that.

우리말 해석

위험한 독

[1]오래 전에 사람들은 자연의 독을 사용했습니다. [2]그들은 동물을 사냥할 때 뱀독을 사용했지요. [3]그러고 나서 그들은 더 많은 독을 발견했어요. [4]그리고 그들은 그것들을 다른 방법으로 사용했습니다.

[5]수 세기 동안, 많은 왕들 또한 독을 사용했습니다. [6]그들은 그것으로 자신의 적들을 죽였습니다. [7]많은 왕들도 독에 의해 죽기도 했지요.

[8]나중에, 사람들은 일상생활에서 독을 사용하기 시작했습니다. [9]몇몇 사람들은 병을 치료하기 위해 독초를 사용했어요. [10]여자들도 화장하기 위해 독이 있는 가루를 발랐지요. [11]그 가루는 위험했어요. [12]하지만 그들은 그것을 알지 못했지요.

주요 문장 분석하기

[2]They(주어) used(동사) snake poisons(목적어) **when** they(주어′) hunted(동사′) animals(목적어′).

→ when은 '~할 때'라는 의미로, 문장과 문장을 연결해 주는 접속사이다.

02 The Hydra

pp.90 ~ 93

p. 91 **Check Up**	1 ① 2 (a) ○ (b) × 3 ③ 4 the Hydra 5 ⓐ: looked ⓑ: heads
p. 92 **Build Up**	1 (B), (D) 2 (A), (C), (E)
p. 92 **Sum Up**	2 → 1 → 4 → 3
p. 93 **Look Up**	A 1 strong 2 smell 3 full B 1 instead - 대신에 2 blood - 피 3 cut off - ~을 자르다 4 collect - 모으다 C 1 smell 2 scared 3 full

Check Up

1 히드라의 독이 있는 피는 많은 사람들을 죽였으며, 심지어 헤라클레스도 이것을 사용해서 다른 괴물들을 죽였다고 설명하고 있으므로 정답은 ①이다.

2 (a) 히드라의 머리 하나를 자르면 그 자리에서 두 개의 머리가 자랐다고(When someone cut off one head, two heads grew instead.) 했으므로 글의 내용과 맞다.
(b) 헤라클레스는 조카와 함께 히드라를 죽였다고(Finally, Hercules and his nephew killed the Hydra.) 했으므로 글의 내용과 틀리다.

3 헤라클레스는 히드라의 피로 다른 괴물들을 죽였다고 했지만 히드라의 피 때문에 그의 조카가 죽었다는 내용은 글에 없다. 따라서 정답은 ③이다.

4 밑줄 친 ⓐ는 '그 괴물'이라는 의미이며, 앞 문장에서 헤라클레스가 조카와 함께 히드라를 죽였다는 내용이 등장하므로 '그 괴물'은 히드라를 가리킨다.

5 히드라는 여러 개의 ⓑ 머리들을 가진 뱀처럼 ⓐ 보였다.

Build Up

헤라클레스와 히드라에 대한 내용을 정리해 본다.

❶ 헤라클레스는	—	(B) 열두 개의 임무가 있었다.	(D) 독이 있는 피를 모았다.
❷ 히드라는	—	(A) 괴물이었다.	(C) 강한 남자들을 죽였다.
		(E) 독이 있는 피를 가지고 있었다.	

Sum Up

❷ 헤라클레스의 임무는 히드라를 죽이는 것이었다. 히드라는 괴물이었다. → ❶ 그 괴물은 머리가 많은 뱀처럼 보였다. 또한, 그것의 피는 독으로 가득 차 있었다. → ❹ 헤라클레스와 그의 조카는 히드라를 죽였다. → ❸ 헤라클레스는 히드라의 독이 있는 피를 사용하여 다른 괴물들을 죽였다.

끊어서 읽기

헤라클레스는 열두 개의 임무가 있었다. 그것 중 하나는 ~이었다 / 히드라를 죽이는 것. 하지만

[1]Hercules had 12 missions. [2]One of them was / to kill the Hydra. [3]But

그것은 쉽지 않았다. 히드라는 괴물이었다. 그것은 ~처럼 보였다 / 많은 머리를 가진 뱀.

it was not easy. [4]The Hydra was a monster. [5]It looked like / a snake with many

누군가 잘랐을 때 / 머리 하나를, // 두 개의 머리가 자랐다 / 대신에. 또한, /

heads. [6]When someone cut off / one head, // two heads grew / instead. [7]Also, /

히드라의 피는 / 독으로 가득 차 있었다. 그 독은 매우 강력했다.

the Hydra's blood / was full of poison. [8]The poison was very powerful.

강한 남자들조차 죽었다 // 그들이 그것을 냄새 맡았을 때. 모두가 ~을 무서워했다 /

[9]Even strong men died // when they smelled it. [10]Everyone was scared of /

히드라의 독이 있는 피.

the Hydra's poisonous blood.

결국, / 헤라클레스와 그의 조카는 / 히드라를 죽였다. 그러고 나서 그는 모았다 /

[11]Finally, / Hercules and his nephew / killed the Hydra. [12]Then he collected /

그 괴물의 독이 있는 피를. 그는 그것을 사용했다 // 그가 다른 괴물들을 죽일 때.

the monster's poisonous blood. [13]He used it // when he killed other monsters.

우리말 해석

히드라

[1]헤라클레스는 열두 개의 임무가 있었습니다. [2]그중 하나는 히드라를 죽이는 것이었어요. [3]하지만 그 일은 쉽지 않았습니다. [4]히드라는 괴물이었거든요. [5]그것은 많은 머리를 가진 뱀처럼 보였어요. [6]누군가가 머리 하나를 잘라내면 대신 두 개의 머리가 자라났지요. [7]또한, 히드라의 피는 독으로 가득 차 있었습니다. [8]그 독은 매우 강력했어요. [9]강한 남자들마저 그 냄새를 맡고 죽었지요. [10] 모두가 히드라의 독이 있는 피를 무서워했어요.

[11]결국, 헤라클레스와 그의 조카가 히드라를 죽였어요. [12]그러고 나서 그는 그 괴물의 독이 있는 피를 모았어요. [13]그는 다른 괴물들을 죽일 때 그것을 사용했답니다.

주요 문장 분석하기

[2]**One of** them **was** ***to kill*** the Hydra.
(One of them: 주어 / was: 동사 / to kill the Hydra: 보어)

→ 「One of+복수명사」는 '~중 하나'라는 의미이며 진짜 주어는 One이므로 단수동사(was)가 쓰였다.

→ to kill은 '죽이는 것'으로 해석한다.

[5]It **looked like** *a snake* [with many heads].

→ 「look[looked] like+명사」는 '~처럼 보이다[보였다]'라는 의미이다.

→ with many heads는 명사 a snake를 뒤에서 꾸며준다.

03 The Power of Poison

pp.94 ~ 97

p. 95 Check Up	1 ③	2 (a) × (b) ○	3 ③	4 ②	5 ⓐ: poisons ⓑ: treat
p. 96 Build Up	1 (B), (D)	2 (C)	3 (A)		
p. 96 Sum Up	a treat	b poison	c create	d find	
p. 97 Look Up	A 1 fever	2 medicine	3 dangerous		
	B 1 recently - 최근에	2 serious - 심각한			
	3 hope - 희망	4 create - 만들어 내다			
	C 1 dangerous	2 useful	3 treat		

Check Up

1 식물이나 동물이 가지고 있는 자연의 독으로 인간에게 이로운 약을 만들 수 있다는 내용의 글이므로 정답은 ③이다.

2 (a) cone snail의 독은 사람들도 죽일 수 있다고(Their poison can even kill people.) 하였으므로 글의 내용과 틀리다.

(b) 과학자들은 Australian funnel-web spider의 독에서 새 희망을 찾았다고 하면서 암과 같은 심각한 병을 치료할 수 있을 것이라고(Recently, they found new hope ~ diseases like cancer.) 했다.

3 wintergreen의 산은 열과 통증을 치료하는 데 도움이 된다고(This helps to treat fever and pain.) 했으므로 정답은 ③이다.

4 빈칸을 포함한 문장은 '과학자들은 여전히 다른 독을 (A)한다.'라는 의미이다. 빈칸 뒤에서는 과학자들이 새로운 치료법을 찾고 싶어 한다는 내용으로, 그들이 여전히 독을 연구하는 이유에 대해 설명하고 있다. 따라서 빈칸에는 '연구하다'라는 의미를 가진 ②가 빈칸에 가장 알맞다.

① 치료하다 ② 연구하다 ③ 도와주다

5 몇몇 자연의 ⓐ 독은 인간에게 이로우며, 열과 통증을 ⓑ 치료하는 것을 도와준다.

Build Up

❶ wintergreen	(B) 그것은 산을 만들어 낸다.	(D) 그것의 산은 열과 통증을 치료하는 것을 도와준다.
❷ cone snail	(C) 그것의 독은 사람들도 죽일 수 있다.	
❸ Australian funnel-web spider	(A) 그것의 독은 암을 치료할 수 있을 것이다.	

Sum Up

식물과 동물은 자신의 독으로 스스로를 보호한다. 그것들의 일부는 병을 ⓐ 치료할 수 있다. wintergreen의 독이 있는 산은 열을 치료한다. 과학자들은 cone snail의 ⓑ 독을 사용해서 진통제를 ⓒ 만들어 낸다. 또한, 그들은 Australian funnel-web spider로부터 암의 새로운 치료법을 ⓓ 발견하고 싶어 한다.

끊어서 읽기

식물과 동물은 만든다 / 그들만의 독을. 그것들은 자신들을 보호한다 /
[1]Plants and animals make / their own poisons. [2]They protect themselves / with

그것으로. 이 독들은 일반적으로 위험하다. 그러나 일부는 사람에게 좋다.
them. [3]These poisons are usually dangerous. [4]But some are good for humans.

과학자들은 자연의 독을 연구한다 / 그리고 새로운 약을 만들어 낸다. wintergreen은
[5]Scientists study nature's poisons / and create new medicines. [6]Wintergreen

독이 있는 산을 만들어 낸다. 이것은 도와준다 / 열과 통증을 치료하는 것을. cone snail에서 나오는 독은
produces toxic acid. [7]This helps / to treat fever and pain. [8]The poison from cone

/ 매우 강력하다. 그들의 독은 / 사람들을 죽일 수도 있다. 하지만 이제 그것은
snails / is very powerful. [9]Their poison / can even kill people. [10]But now it's

유용한 진통제이다.
a useful pain medicine.

과학자들은 여전히 연구한다 / 다른 독들을. 그들은 찾고 싶어 한다 / 새로운 치료법들을.
[11]Scientists still study / other poisons. [12]They want to find / new cures.

최근에, / 그들은 새로운 희망을 찾았다 / Australian funnel-web spiders에서.
[13]Recently, / they found new hope / from Australian funnel-web spiders.

그것들의 독은 치료할 수 있을 것이다 / 심각한 병들을 / 암과 같은.
[14]Their poison could treat / serious diseases / like cancer.

우리말 해석

독의 힘

[1]식물과 동물은 자신만의 독을 만듭니다. [2]그들은 그것으로 자신들을 보호하지요. [3]이 독들은 일반적으로 위험해요. [4]하지만 일부는 사람에게 이롭습니다.

[5]과학자들은 자연의 독을 연구해서 새로운 약을 만들어 냅니다. [6]wintergreen은 독이 있는 산을 만들어 냅니다. [7]이것은 열과 통증을 치료하는 걸 도와줍니다. [8]cone snail의 독은 매우 강력해요. [9]그들의 독은 사람들을 죽일 수도 있거든요. [10]하지만 이제 그것은 유용한 진통제랍니다.

[11]과학자들은 여전히 다른 독들을 연구합니다. [12]그들은 새로운 치료법들을 찾고 싶어 하지요. [13]최근에, 그들은 Australian funnel-web spider에서 새로운 희망을 찾았습니다. [14]그들의 독은 암과 같은 심각한 병들을 치료할 수 있을 것입니다.

주요 문장 분석하기

[2]They protect **themselves** with *them*.
주어 동사 목적어

→ themselves는 '그들 자신'이라는 뜻으로, 목적어로 쓰여 주어 자신을 나타낸다. 만약 목적어 자리에 them이 오면 주어 They와는 다른 대상을 가리킨다.

→ them은 앞 문장에 등장한 their own poisons를 가리킨다.

[5]Scientists study nature's poisons **and** create new medicines.
주어 동사1 목적어1 동사2 목적어2

→ Scientists가 주어이고, 두 개의 동사 study와 create가 and로 연결되었다.

[8]***The poison*** [from cone snails] **is** very powerful.
주어 동사 보어

→ The poison이 주어이므로 단수동사(is)가 쓰였다.

→ from cone snails는 The poison을 뒤에서 꾸며준다.

[14] Their poison **could** ***treat*** *serious diseases* [like cancer].

주어 / 동사 / 목적어

→ could는 '~할 수 있을 것이다'라는 의미로, 가능성이 있음을 나타낼 때 사용하는 조동사이다. 조동사 뒤에는 동사원형이 온다.

→ like cancer는 serious diseases를 뒤에서 꾸며준다.

04 Everybody Likes Foxgloves

pp.98 ~ 101

p. 99 Check Up	1 ①	2 (a) ○ (b) ×	3 ③	4 ⓐ: dangerous	ⓑ: heart
p. 100 Build Up	a bad	b hens	c flowers	d angry	
p. 100 Sum Up	a stories	b paws	c hunted	d play	e luck
p. 101 Look Up	A 1 touch	2 pick	3 put on		
	B 1 fairy - 요정	2 heart - 심장			
	3 leave - 남기다	4 glove - 장갑			
	C 1 touch	2 gave	3 Somebody		

Check Up

1 디기탈리스에 관해 전해 내려오는 두 이야기를 소개하는 내용이므로 정답은 ①이다.

2 (a) 여우는 꽃을 발에 끼우고 암탉을 사냥했다고(The fox put the flowers on its paws and hunted hens.) 했으므로 글의 내용과 맞다.
(b) 디기탈리스를 꺾거나 안으로 가져가면 불운을 가져올 것이라고(So don't pick one or take it inside. It'll bring bad luck.) 했으므로 글의 내용과 틀리다.

3 요정들이 꽃들을 만질 때 흰 반점을 남긴다고(When they touch them, they leave white spots.) 했으므로 정답은 ③이다.

4 디기탈리스의 독은 ⓐ 위험하지만, ⓑ 심장약에 유용하다.

Build Up

여우는
- a 나쁜 요정들로부터 그 꽃들을 얻었다.
- 자신의 발에 그 꽃들을 신었다.
- b 암탉들을 사냥했다.

요정들은
- 그 c 꽃들 안에서 노는 것을 좋아한다.
- 그 꽃 위에 흰 반점을 남긴다.
- 누군가가 그 꽃을 안으로 가져가면 d 화를 낸다.

Sum Up

사람들은 디기탈리스에 대해 두 가지의 (a) 이야기들을 말한다. 하나는 여우에 관한 것이다. 한 여우는 자신의 (b) 발들에 그 꽃을 신었다. 그러고 나서 그것은 암탉을 (c) 사냥했다. 다른 이야기는 요정에 관한 것이다. 요정들은 꽃들 안에서 (d) 노는 것을 좋아한다. 꽃을 꺾거나 그것을 안으로 가져가지 마라. 당신이 그렇게 할 때, 그것은 (e) 불운을 가져올 것이다.

끊어서 읽기

이 꽃들은 디기탈리스로 불린다. 그것들은 가지고 있다 / 위험한 독을 // 하지만 그것은
[1]These flowers are called foxgloves. [2]They have / dangerous poison, // but it's

유용하다 / 심장약에. ~가 있다 / 두 가지 이야기 / 이 꽃들에 대한.
useful / in heart medicine. [3]There are / two stories / about these flowers.

오래 전, / 나쁜 요정들이 그 꽃을 주었다 / 여우에게. 그 여우는 그 꽃을 신었다 /
[4]Long ago, / bad fairies gave the flowers / to a fox. [5]The fox put the flowers /

그의 발에 / 그리고 암탉을 사냥했다. 암탉은 여우를 듣지 못했다 /
on its paws / and hunted hens. [6]The hens didn't hear the fox / because of

그 꽃 장갑 때문에.
the flower gloves.

다른 이야기에서, / 요정들은 노는 것을 좋아한다 / 그 꽃들 안에서. 요정들이 그것들을 만질 때,
[7]In the other story, / fairies like playing / in the flowers. [8]When they touch

// 그들은 흰 반점을 남긴다. 그러나 요정들은 화를 낸다 // 누군가가 디기탈리스를 가져갈 때
them, // they leave white spots. [9]But fairies get angry // when somebody takes

/ 안으로. 그러니 하나를 꺾지 마라 // 또는 그것을 안으로 가져가지 마라.
foxgloves / inside. [10]So don't pick one // or take it inside.

그것은 불운을 가져올 것이다.
[11]It'll bring bad luck.

우리말 해석

모두가 디기탈리스를 좋아해요

[1]이 꽃들은 디기탈리스라고 불립니다. [2]그것들은 위험한 독을 가지고 있지만, 그 독은 심장약에 유용하답니다. [3]이 꽃들에 대한 두 가지 이야기가 있습니다.

[4]오래 전, 나쁜 요정들이 그 꽃을 여우에게 주었어요. [5]그 여우는 꽃을 발에 끼우고 암탉을 사냥했습니다. [6]암탉은 그 꽃 장갑 때문에 그 여우를 듣지 못했지요.

[7]다른 이야기에서는, 요정들이 그 꽃들 안에서 노는 것을 좋아합니다. [8]요정들이 꽃들을 만질 때, 그들은 흰 반점을 남

깁니다. [9]그러나 누군가가 디기탈리스를 안으로 가져가면 요정들은 화를 냅니다. [10]그러니 하나를 꺾거나 그것을 안으로 가져가지 마세요. [11]그것은 불운을 가져올 것입니다.

주요 문장 분석하기

[3]**There are *two stories*** [about these flowers].

→ 「There are+복수명사」의 형태로 '~가 있다'를 의미한다.

→ about these flowers는 명사 two stories를 뒤에서 꾸며준다.

[4]Long ago, bad fairies **gave the flowers to a fox.**

주어(bad fairies) 동사(gave) 목적어(the flowers)

→ 「give[gave]+A(사물)+to+B(사람, 동물)」는 'A를 B에게 주다[주었다]'라는 뜻이다.

[7]In the other story, fairies like **playing** in the flowers.

주어(fairies) 동사(like) 목적어(playing in the flowers)

→ playing은 '노는 것'으로 해석하며, playing ~ flowers는 동사 like의 목적어이다.

[10]So **don't pick** *one* ***or*** (don't) **take** it inside.

동사1(pick) 목적어1(one) 동사2(take) 목적어2(it)

→ 「Don't+동사원형」의 형태로 '~하지 마'를 의미하는 부정 명령문이다.

→ or로 동사 pick와 take가 연결되었다.

→ one은 앞에 나온 명사의 반복을 피하기 위해 쓰였으며, 특정하지 않은 foxglove 하나를 나타낸다.

Words

80 A

정답과 해설

WORKBOOK

• CHAPTER 1 •

Friends

pp.12 ~ 29

01 Friends Help

p.2

A 1 become 2 feel
3 new 4 piece
5 another 6 proud

B 1 shorter - 더 짧은
2 around - ~의 주위에
3 better - (몸·기분이) 나은

C 1 O: He, wrapped
2 O: The coat, became
3 O: A rabbit, was
4 O: The rabbit, cut out

D 1 He made a new home
2 The coat was not new
3 because her tail was hurt
4 But the rabbit felt happier

02 Becoming Good Friends

p.4

A 1 right 2 listen
3 special 4 All
5 smile 6 talk

B 1 together - 함께
2 first - 먼저
3 past - 과거

C 1 O: I, didn't like
2 O: You, have
3 Learn
4 O: all my friends, like

D 1 You need to be a good friend
2 You have every color
3 When all the colors are together
4 I tried to be a good friend

03 Happy Together

p.6

A 1 trouble 2 protect
3 happiness 4 health
5 understand 6 low

B 1 good for - ~에 좋은
2 chance - 가능성
3 help - 돕다

C 1 O: This happiness, protects
2 O: Happy people, have
3 O: Our brains, make
4 O: Friends, many studies, are, show

D 1 Do you have good friends
2 when you are in trouble
3 We need good friends
4 We live longer, because of friends

04 Ford and Edison

p.8

A 1 begin 2 invent
3 before 4 advice
5 next to 6 hero

B 1 until - ~까지
2 keep - 간직하다
3 last - 마지막의

C 1 O: Edison, gave
2 O: Ford, met
3 O: their friendship, began
4 O: Ford, wanted

D 1 and started inventing one
2 a vacation home next to Edison's
3 Edison's son gave the tube to Ford
4 Ford kept it, until his death

• CHAPTER 2 •

Fashion

pp.30 ~ 47

01 Olivia's Fashion

p.10

A 1 anywhere 2 look
3 busy 4 light
5 perfect 6 ready

B 1 still - 아직도
2 look for - ~을 찾다
3 every - 매 ~, ~마다

C 1 O: She, wants
2 O: They, were
3 O: The white pants, are
4 O: she, couldn't find

D 1 Olivia changes her clothes
2 she put on a blue shirt
3 she looked for her dark jeans
4 she picked black pants

02 Special Clothing

p.12

A 1 mean 2 wear
3 long 4 tight
5 uniform 6 clothing

B 1 country - 나라
2 like - ~와 같은
3 usually - 보통

C 1 O: Ao dai, is
2 O: Women, wear
3 O: Many other countries, have
4 O: many women in India, wear

D 1 Some girls wear ao dais
2 Some people wear traditional clothing
3 It's usually 4 to 8 meters long
4 Women wrap it, around their bodies

03 Kate's Ao Dai

p.14

A 1 classmate 2 festival
3 laugh at 4 Stand up
5 dance 6 Everyone
7 Welcome to

B 1 finish - 끝내다
2 come in - 들어오다
3 last - 지난

C 1 O: She, made
2 O: I, visited
3 introduce
4 O: Kate, started

D 1 Kate's classmates laughed at her
2 Kate stood up and said
3 Many people were dancing
4 Everyone else started to clap

04 Coco Chanel

p.16

A 1 learn 2 create
3 simple 4 type
5 clothes 6 open

B 1 nobody - 아무도 ~않다
2 forever - 영원히
3 stage - 무대

C 1 O: Gabrielle Chanel, learned
2 O: she, made, opened
3 O: she, saw
4 O: Nobody, used

D 1 Chanel started to sew
2 People called her Coco
3 She decided to make simple clothes
4 Her clothes changed women's clothing

• CHAPTER 3 •

Lightning

pp.48 ~ 65

01 Weather Change

p.18

A 1 start 2 hear
3 sound 4 loud
5 watch 6 After

B 1 outside - 밖에서; ~ 밖으로
2 dark - 어두운
3 storm - 폭풍우

C 1 O: The thunder, became
2 O: The sky, became
3 O: they, watched
4 O: it, started

D 1 Anna and Jack were playing outside
2 Anna took Jack inside the house
3 decided to play a board game
4 The sky became white with lightning

02 Powerful Lightning

p.20

A 1 fly 2 control
3 only 4 powerful
5 about 6 test

B 1 hammer - 망치
2 create - 만들어 내다
3 tribe - 부족

C 1 O: He, controlled
2 O: People, didn't know

3 O: Benjamin Franklin, did
4 O: Zeus, got

D 1 There were many stories
2 He became the king of the gods
3 lightning came from a bird
4 the bird flew and created thunder

03 Dangerous Lightning

p.22

A 1 fish 2 weather
3 memory 4 shock
5 hurt 6 near

B 1 suddenly - 갑자기
2 strike - (세게) 치다, 부딪치다
3 survive - ~에서 살아남다

C 1 O: He, lost
2 O: Everyone, felt
3 O: it, became
4 O: All of them, survived

D 1 It will start raining
2 Brandon and his friends were leaving
3 lightning struck, a tree near them
4 Others were also hurt

04 Airplanes and Lightning

p.24

A 1 nothing 2 hit
3 Enter 4 send
5 safe 6 afraid

B 1 happen - 발생하다
2 protect - 보호하다
3 through - ~을 통해서, ~을 지나서

C 1 O: Nothing, happens
2 don't worry
3 O: people, make
4 O: It, protects

D 1 Why are you safe
2 Lightning travels through the outside of the plane
3 sends lightning into the air
4 when lightning hits an airplane

• CHAPTER 4 •

Dessert

pp.66 ~ 83

01 Grandmother's Secret

p.26

A 1 write 2 bake
3 fresh 4 letter
5 Mix 6 early

B 1 secret - 비결, 비법
2 add - 더하다, 추가하다
3 delicious - 맛있는

C 1 O: Jenny's grandmother, writes
2 O: Her grandmother's apple pie, is
3 O: you, will find
4 cut, mix

D 1 Jenny wants to bake
2 making a delicious apple pie isn't easy
3 Add some sugar, and bake the pie
4 Share the pie with your friends

02 Sweet Food

p.28

A 1 price 2 expensive
3 kind 4 change
5 dish 6 enjoy

B 1 today - 오늘날에; 오늘날
2 go down - (가격 등이) 내려가다
3 honey - 꿀

C 1 O: They, made
2 O: It, was
3 O: custard, was
4 O: dessert in the old days, was

D 1 There are many kinds of desserts
2 Only rich people could have sweet food
3 the price of sugar went down
4 People started to use sugar

03 A Delicious Dessert!

p.30

A 1 wash 2 buy
3 result 4 branch
5 supermarket 6 Stir

B 1 both - 둘 다
2 hundred - 백, 100
3 cloth - 천, 옷감

C 1 O: The boy, stirred
2 O: The girl, went, washed
3 O: The boy's father, crushed
4 O: They, the results, used, were

D 1 a boy bought blueberries
2 The boy washed the berries
3 stirred the cream with small branches
4 The girl's mother crushed the berries with a cloth

04 Sweet Almond Cookies

p.32

A 1 between 2 colorful
3 soft 4 popular
5 guest 6 put

B 1 crunchy - 바삭한
2 baker - 제빵사
3 filling - (파이 등 음식의) 소, 속

C 1 O: it, was
2 O: two sisters, started
3 O: more and more people, enioyed
4 O: The almond cookies, became

D 1 This sweet dessert is crunchy
2 Some people started, using two almond cookies
3 Bakers put jams and spices
4 They had different fillings

• CHAPTER 5 •

Poison

pp.84 ~ 101

01 Dangerous Poison

p.34

A 1 enemy 2 hunt
3 Poison 4 way
5 put on 6 poisonous

B 1 cure - 치료하다; 치료법
2 human - 사람, 인간
3 find - 발견하다

C 1 O: They, killed
2 O: they, found
3 O: The powder, was
4 O: they, didn't know

D 1 humans used nature's poisons
2 when they hunted animals
3 People started to use poisons
4 Some used poisonous plants

02 The Hydra

p.36

A 1 Collect 2 instead
3 smell 4 full
5 cut off 6 scared

B 1 powerful - 강력한
2 grow - 자라다
3 look like - ~처럼 보이다

C 1 O: The Hydra, was
2 O: he, collected
3 O: the Hydra's blood, was
4 O: Hercules and his nephew, killed

D 1 a snake with many heads
2 Everyone was scared of
3 when they smelled it
4 when he killed other monsters

03 The Power of Poison

p.38

A 1 serious 2 medicine
3 useful 4 treat
5 Recently 6 dangerous

B 1 protect – 보호하다
2 scientist – 과학자
3 usually – 일반적으로, 보통

C 1 O: Plants and animals, make
2 O: These poisons, are
3 O: The poison from cone snails, is
4 O: Scientists, study, create

D 1 some are good for humans
2 to treat fever and pain
3 Scientists want to find new cures
4 Their poison could treat serious diseases

04 Everybody Likes Foxgloves

p.40

A 1 give 2 heart
3 glove 4 Somebody
5 touch 6 pick

B 1 take - 가져가다

2 hear - 듣다

3 inside - 안으로

C 1 O: It, will bring

2 O: The hens, didn't hear

3 O: fairies, like

4 O: bad fairies, gave

D 1 The dangerous poison is useful

2 There are two stories

3 they leave white spots

4 Don't pick one, or take it inside

MEMO

왓츠리딩

What's Reading

한눈에 보는
왓츠 Reading 시리즈

70 A|B

80 A|B

90 A|B

100 A|B

1 체계적인 학습을 위한 시리즈 및 난이도 구성
2 재미있는 픽션과 유익한 논픽션 50:50 구성
3 이해력과 응용력을 향상시키는 다양한 활동 수록
4 지문마다 제공되는 추가 어휘 학습
5 워크북과 부가자료로 완벽한 복습 가능
6 학습에 편리한 차별화된 모바일 음원 재생 서비스
→ 지문, 어휘 MP3 파일 제공

단계	단어 수 (Words)	Lexile 지수
70 A	60 ~ 80	200-400L
70 B	60 ~ 80	
80 A	70 ~ 90	300-500L
80 B	70 ~ 90	
90 A	80 ~ 110	400-600L
90 B	80 ~ 110	
100 A	90 ~ 120	500-700L
100 B	90 ~ 120	

* Lexile(렉사일) 지수는 미국 교육 연구 기관 MetaMetrics에서 개발한 독서능력 평가지수로, 미국에서 가장 공신력 있는 지수로 활용되고 있습니다.

부가자료 다운로드

www.cedubook.com

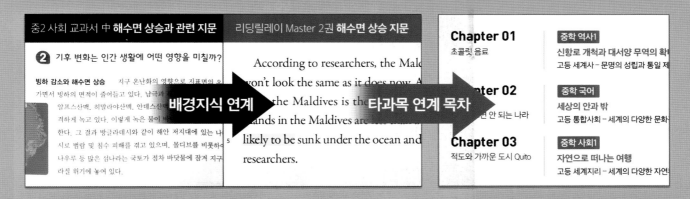

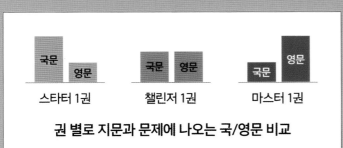

쎄듀 초·중등 커리큘럼

예비초 | 초1 | 초2 | 초3 | 초4 | 초5 | 초6

구문
- 신간 천일문 365 일력 | 초1-3 | 교육부 지정 초등 필수 영어 문장
- 초등코치 천일문 SENTENCE — 1001개 통문장 암기로 완성하는 초등 영어의 기초

문법
- 초등코치 천일문 GRAMMAR — 1001개 예문으로 배우는 초등 영문법
- 왓츠 Grammar — Start (초등 기초 영문법) / Plus (초등 영문법 마무리)

독해
- 왓츠 리딩 70 / 80 / 90 / 100 A / B — 쉽고 재미있게 완성되는 영어 독해력

어휘
- 초등코치 천일문 VOCA&STORY — 1001개의 초등 필수 어휘와 짧은 스토리
- 패턴으로 말하는 초등 필수 영단어 1 / 2 — 문장 패턴으로 완성하는 초등 필수 영단어

ELT
- Oh! My PHONICS 1 / 2 / 3 / 4 — 유·초등학생을 위한 첫 영어 파닉스
- Oh! My SPEAKING 1 / 2 / 3 / 4 / 5 / 6 — 핵심 문장 패턴으로 더욱 쉬운 영어 말하기
- Oh! My GRAMMAR 1 / 2 / 3 — 쓰기로 완성하는 첫 초등 영문법

예비중 | 중1 | 중2 | 중3

구문
- 천일문 STARTER 1 / 2 — 중등 필수 구문 & 문법 총정리

문법
- 천일문 GRAMMAR LEVEL 1 / 2 / 3 — 예문 중심 문법 기본서
- GRAMMAR Q Starter 1, 2 / Intermediate 1, 2 / Advanced 1, 2 — 학기별 문법 기본서
- 잘 풀리는 영문법 1 / 2 / 3 — 문제 중심 문법 적용서
- GRAMMAR PIC 1 / 2 / 3 / 4 — 이해가 쉬운 도식화된 문법서
- 1센치 영문법 — 1권으로 핵심 문법 정리

문법+어법
- 첫단추 BASIC 문법·어법편 1 / 2 — 문법·어법의 기초

문법+쓰기
- EGU 영단어&품사 / 문장 형식 / 동사 써먹기 / 문법 써먹기 / 구문 써먹기 — 서술형 기초 세우기와 문법 다지기
- 올씀 1 기본 문장 PATTERN — 내신 서술형 기본 문장 학습

쓰기
- 거침없이 Writing LEVEL 1 / 2 / 3 — 중등 교과서 내신 기출 서술형
- 중학 영어 쓰작 1 / 2 / 3 — 중등 교과서 패턴 드릴 서술형

어휘
- 신간 천일문 VOCA 중등 스타트/필수/마스터 — 2800개 중등 3개년 필수 어휘
- 어휘끝 중학 필수편 — 중학 필수어휘 1000개
- 어휘끝 중학 마스터편 — 고난도 중학어휘 +고등기초 어휘 1000개

독해
- Reading Relay Starter 1, 2 / Challenger 1, 2 / Master 1, 2 — 타교과 연계 배경 지식 독해
- READING Q Starter 1, 2 / Intermediate 1, 2 / Advanced 1, 2 — 예측/추론/요약 사고력 독해

독해전략
- 리딩 플랫폼 1 / 2 / 3 — 논픽션 지문 독해

독해유형
- Reading 16 LEVEL 1 / 2 / 3 — 수능 유형 맛보기 + 내신 대비
- 첫단추 BASIC 독해편 1 / 2 — 수능 유형 독해 입문

듣기
- Listening Q 유형편 / 1 / 2 / 3 — 유형별 듣기 전략 및 실전 대비
- 쎄듀 빠르게 중학영어듣기 모의고사 1 / 2 / 3 — 교육청 듣기평가 대비